The Full Facts Book of COLD READING

コールド・リーディング

人の心を一瞬でつかむ技術

イアン・ローランド

福岡洋一＝訳

Ian Rowland

Translated by Yoichi Fukuoka

Rakkousha

［第二版］

誰にも増して素晴らしく、賞賛に値する人たちである私の父母に、
愛を込めて本書を捧げる。

また、知識、尊敬、愛、優しさ、楽しみ、笑い、素晴らしい時間、
旅先での優れた体験、夢、さまざまな奇跡を分かち合ってくれた、
世界中の多くの友人たちにも、変わることのない感謝とともに
本書を捧げる。

本書と著者に寄せられた賛辞

「このテーマについてこれまでに書かれた最高の本だろう」

――レイ・ハイマン
（オレゴン大学名誉教授／心理学者）

「FBI行動分析プログラムではローランド氏に依頼し、われわれのチームを丸一日たっぷり訓練してもらった。彼は実演を交えてコールド・リーディングについて詳しく語り、行動分析への応用可能性について教えてくれた。こうした分野に興味のある方ならどなたにでも強くお薦めしたい」

――ロビン・ドリーク
（元FBI特別捜査官、FBI行動分析プログラム責任者）

「私たちはカリフォルニア工科大学で一〇〇回を超えるレクチャーとショーを行なったが、ローランド氏のパフォーマンス以上に熱狂的な評価を受けたことはなかった。観客の中にいた人たちから後に話を聞くと、多くの人が口をそろえて、あれは最高に楽しく有益で、それまで経験したことがないほど面白いショーだったと言った。科学と懐疑派のコミュニティーに多大な活気と品格を吹き込んだ彼の功績は賞賛に値する」

――マイケル・シャーマー
（スケプティックス・ソサエティ〈懐疑主義協会〉創設者・理事。『なぜ人はニセ科学を信じるのか』著者）

第2章　コールド・リーディングの仕組み　41

第3章　デモンストレーション　251

[おことわり]
◎本文中、〔 〕内の文字サイズが小さい箇所は訳注です。
◎原著にあるProgress Reviewは、邦訳に際して一部省略しています。
◎書籍名について、邦訳の刊行されているものは邦訳書名と出版社名などを記しました。邦訳のないものは仮の邦訳書名を付しています。
◎二五〇ページの記述は邦訳にあたり付け加えたものです。

第1章

リーディングの世界

言葉は唇にのせたワイン

——ヴァージニア・ウルフ

〔一八八二—一九四一
英国の小説家〕

リーディングはあらゆるところに

いつの時代にもあったもの。
世界中どこででも見られるもの。
そして説明できないように見えるもの。

それがサイキック・リーディングだ。たいていの人は、自分でリーディングを受けたことがあったり、リーディングを体験した人が知り合いにいたりするはずだ。リーディングに人々が驚くのも無理はない。とても信じられないようなことがしばしば起きて興味をそそられるのだ。たとえば、それはこんなふうに行なわれる。

あなたはサイキック〔超常的な能力を持つとされる占い師、霊能者など〕のもとへと足を運ぶ。サイキック（多くの場合女性）は初対面なのに、あなたの性格を的確に言い当てる。あなたの過去に起きたことや、あなたの知っている人たちの名前を挙げ、個人的な生活、仕事のこと、将来の計画について、具体的な事実まで口にする。不思議なめぐり合わせで実現する将来の出来事についても、その一端を提示してくれる。

なぜそんなことができるのか？　見ず知らずの他人なのに、あなたのことがほとんどすべて分かるかのように語りかけてくる。こうしたリーディングに触れて心を動かされ、夢中になる人は多く、しばしばこんなふうに証言する。

「リーディングの内容はとても素晴らしいもので、本当に楽しめました。何もかも図星だったし、これから私の身に起こると告げられたのも素敵なことばかり。本当に感銘を受けました。私の性格についての分析も、ぴったり当てはまっていました」

ここで引用したのは、ある女性が実際に口にした言葉だ。彼女はそれまで会ったことのない人物による詳細なリーディングを受けた。その内容は、彼女の人生、仕事、心配事、希望、野心に関わるものだったが、実は最初から最後までまるでデタラメだった。私には分かる。なぜなら、(テレビ番組のために)リーディングを行なったのは私自身で、そこに超常的な能力などまったく関わっていないからだ。私がこのとき使ったのは、「コールド・リーディング」という、人の心を巧みに突いてねじ伏せるコミュニケーションのテクニックだけだった。

世界中で拡大するサイキックの業界

現代のサイキック業界に力を与えているのは、いま紹介したような熱のこもった証言だ。もしサイキック・リーディングに誰も感銘を受けなかったなら、こうした商売は廃(すた)れていくはずだ。しかし、人々はリーディングに驚嘆し、サイキック業界は世界中に広がって成長を続けている。テレビの「インフォマーシャル」（情報提供という形をとって商品を売り込むコマーシャル）や、無批判にネタを取り上げるメディアや、よく知りもせずに推奨する有名人や、押しとどめようもなく拡がるインターネットのおかげで、いまやかつてないほど人気を集めている。ネットに接続できれば、どこにいてもあらゆる種類のサイキック・リーディングを受けられる。

業界の規模は石油産業と比べものにならないが、サイキックの商売は石油業界よりも古くからあり、ずっと長く続くだろうし、利益率もはるかに大きい。石油で儲けようと思ったら、まずは油田を掘り当てなければならず、輸送、精製を経て、ようやく販売する段階になる。しかし、サイキック・リーディングなら相手に向かってしゃべるだけでお金がもらえる。石油はいつか枯渇（こかつ）するかもしれないが、サイキック・リーディングを求める人々がいなくなることはけっしてない。

どれだけのリーディングが行なわれ、どれだけの金額が動いているか、正確なところは分からない。一九九八年に発表されたある資料によると、米国のサイキック・ネットワーク業界だけで遠からず一四億から二〇億ドルの規模に達するという（付録の☆1、三六六ページ参照）。私の住んでいるイングランドでもサイキック・リーディングは盛んだが、米国ほどの成長はない。英国のテレビでは三〇分もの長さのインフォマーシャル番組をやっていないからだ。雨ばかり多くて誰も楽しげな表情をしていないのに、私がここに住んでいる理由の一つはそれだ。

コールド・リーディングの素晴らしいところは（それを手がける者にとって、という意味だが）、ほぼ誰にも知られていないということだ。消費者がかつてないほど用心深くなり、さまざまな情報も手に入る時代だというのに、コールド・リーディングの基本や、それがどのように機能するかについての知識を、ほとんど誰も持っていない。

コールド・リーディングが興味深く魅力的な分野であることは疑いようもない。その研究と教育に私が何十年も費やし、さまざまな（必ずしもサイキック業界と関わりがあるわけではない）文脈でコールド・リーディングを使ってきたのはそのためだ。コールド・リーディングが可能だという事実そのものが、コミュニケーションや人間の心理について、言葉と意味の間に、つまり述べられたことと理解されたことの間に存在する、興味の尽きない隔たりについて、実に多くのことを教えてくれる。

この本の目的は、コールド・リーディングの方法を伝授することではない。見知らぬ人に対して発せられた言明に意味があるように見せることは可能で、やり方はいろいろある。その仕組みを記述することが私の目的だ。

では始めよう。

この本で取り上げること

本書の主要な目的は、サイキック業界の中でコールド・リーディングがどのように機能しているかを記述することだ。見ず知らずの人に向けて発する言葉を有意味で正確だと思わせることが、どのようにして可能になるかを説明することが中心になる。

本書は五つの章と付録からなっている。

第1章は、本書とコールド・リーディングへの導入部となっている。誤解を避けるために、まずはここを読んでほしい。

第2章では、コールド・リーディングが実際にどのように機能するかを説明する。

第3章では、私がテレビで行なったコールド・リーディングの実例を二つ紹介する。

第4章では、コールド・リーディングの説明の締めくくりとして、いくつかの注意点に触れる。

第5章では、CRFB（Cold Reading For Business ビジネスのためのコールド・リーディング）を簡単に紹介する。

付録では、補足事項と参考資料を提示する。

各章はそれ以前の内容を踏まえた説明になっているので、順番通りに読み進めることをお勧めしたい。

この本が扱わない三つのこと

ここでは、本書が扱わない三つのことをはっきりさせておこう。これは大いに時間の節約となるはずだ。

サイキック・パワーは実在するか?

サイキック・パワーが実在するか否かという問題を、本書は扱わない。この問題については読者自身の判断にお任せする。

サイキック・パワーが実在すると信じている人は多い。自分の祖母は間違いなくサイキックだったとか、飼い犬がサイキックだとか手紙に書いてくる人もいる。一方で、サイキック・パワーは絵空事だと確信している人もいる。

私は三〇年以上にわたって、この論争に何らかの形で関わってきた。懐疑論者や、超心理学と呼ばれる、存在しない物事を研究する分野の科学者の知り合いが多い。また、サイキックもたくさん知っていて、その大多数とはとても仲良くしている。好きになれないサイキックにはまだ会ったことがない。

私個人は、信奉者と懐疑論者の長年にわたる論争につきあっている暇はない。議論はどこへも行き着かなかったし、今後も結論が出ることはない。退屈とは言わないまでも、本質的に不毛な議論でしかない。本当のところを知りたいのなら、こう言っておこう。**サイキック・パワーは、あなたがそうであってほしいと望む分だけリアルなものとなる**、と。

もっと詳しく知りたい方は第4章の「サイキック・パワーは存在する?」(三四五ページ)を参照してほしい。サイキックと彼らの主張について私の言いたいことは、ほぼそれで尽きている。

リーディングは有益か?

自分にとって役に立ち癒やされると感じる人がいる、ということを根拠に、サイキック・リーディングを擁護する人たちもいる。誰かにとって良いものなら、リーディングが純粋に「サイキック」なものかどうかは重要でないのではないか、と彼らは示唆する。この理屈は面白いけれど、本書とは関わりがない。私はコールド・リーディングがどのように機能するかを記述しているのであって、その効用や有益さを評価しようというのではない。

ただ一つ言えるのは、コールド・リーディングは鋭利なナイフで、良いことにも悪いことにも使えるということだ。他人を利用したり法外な額の金銭を得たりする目的でコールド・リーディングを使う者も確かにいる。これは間違った行為で、私は心の底から軽蔑する。その一方、サイキックな主張をすることなく、世界をほんの少しだけ楽しく、明るくしたいという純粋な気持ちから、無料でリーディングをする人もあちこちにいる。たまたま私もその一人だから、よく分かる。私はリーディングを行なうのが好きだし、リーディングによってその人の一日がどれほど明るくなるかも知っている。『スーパー・サイキック・リーディングズ』（*Super Psychic Readings*）という別の著書では、私が使っているシステムを詳細に説明した。タイトルには「サイキック」という語が入っているが、これはそうしないと何のことを言っているのか誰にも分からないからだ。しかし実際には自分の提供するリーディングを、私は「パーソナル・リーディング」と呼んでおり、「サイキック・リーディング」という言葉はまったく使わない。また、私はいっさい代金を受け取らない。もっとも、有料にするのも必ずしも間違いではないと感じてはいる。

覚えておいてほしいのは、サイキックを自称しながらリーディングを提供しない人もいるし、（私のように）リーディングを提供していてもサイキックだと主張しない人もいる、ということ。二つの概念を分けて考えることは可能だ。

マジシャンとその手法

精神の能力や、少しでも「サイキック」に見えるものに関わるマジックはメンタリズムと呼ばれている。これは私の専門とする分野だ。私はカードを使ったトリックなどもできるが、メンタリズムは特に自分に適している。私はロンドンのインナー・マジック・サークル（Inner Magic Circle）のメンバーで、世界中のコンベンションでマジシャンやメンタリストに講演をし、マジックにおけるメンタリズムについて二〇〇以上の論文を発表している。

本書は、メンタリストなどのように純粋に人を楽しませる目的で騙しのテクニックを利用する方法について述べたものではない。

観客の中にいる初対面の人の心を、スラスラ読み取る能力があるように見えるマジシャンのステージを見たことがあるかもしれない。生まれた日付や、休みの日にどこへ行ったかなど、個人的なことを何でも言い当ててしまう。私自身も何度もやったことがある。どうしてそんなことができるのか？　ここにはその答えを書かない。秘密を明かしてしまえばマジックは成り立たず、それでは興醒めになるからだ。

ごくまれな例外は別として、こうしたステージで演じられるトリックや読心術は、コールド・リーディングとほとんど、あるいはまったく関係がない。本書が取り上げるのはサイキック・リーディングであって、ステージで行なうエンターテインメントではない。この区別をどうか心に留めておいてほしい（単純明快に区別できるかどうかは、人によって意見が異なる。付録の☆2、三六六ページを参照）。

メンタリズムを学ぶことに興味があるなら、それは素晴らしい。習得には長い時間が必要だが、非常に面白い分野だし、世界のマジシャンのコミュニティに参加できるのはとても楽しい。お望みなら私と一緒に学ぶことも可能だ。

用語について

コールド・リーディングとは？

コールド・リーディング（cold reading）を簡単に定義するなら、「話している相手に、あなたがサイキックであると信じ込ませる方法」となる。これはサイキック業界の文脈でコールド・リーディングを議論する際に有効な定義だ。

コールド・リーディングのテクニックを、サイキックとは関係のない文脈――販売、経営、教育など、影響力と説得に関わるほぼすべての分野――に適用することもできる。こちらを私は「ビジネスのためのコールド・リーディング（CRFB：Cold Reading For Business）」と呼んでいる。本書では第5章でCRFBを取り上げる。サイキックとは無関係の文脈では別の定義を用いる。「コールド・リーディングとは、他人が考え、感じ、信じることに影響を与えるための、一組のコミュニケーション戦略である」というものだ。

本書で主として扱うのは、サイキックな性質のものとして提供する状況でのコールド・リーディングだ。

サイキック・リーディングとは？

サイキックの業界は幅が広く、さまざまな趣向のリーディングが揃っている。

ジャンクフードみたいにお手軽なものとしては、誰かが電話してくるたびに前もって用意されたつまらない文句を使い回して語り聞かせるインスタント・リーディングがある。担当者は訓練を受けていて、常にそつなく答え、どんなことでも請(う)け合い、相談者の気を引いてできる限り電話を切らせない（予言(プロフェット)を利益(プロフィット)に変えるためだ）。

流れ作業で提供されるこうしたお手軽な奇跡は、安価で単純、ドナルド・ダックのマンガと同じ程度には気晴らしになる。ひどい言い方かもしれないが、実際そうなのだ。ただし、ドナルド・ダックには引き合いに出したことをお詫びしておきたい。

逆に高級フランス料理のように手の込んだものとして、一時間もかけて個人的に面談し、リーディングを提供するやり方がある。料金は恐ろしく高いが、素敵な話をたっぷり聞かせてくれる。なにしろいまは、個人でトレーナーを雇ったり、かかりつけのセラピストがいたりする時代だ。日々の暮らしを彩(いろど)ることにこだわる人たちなら、サイキック風味を装飾の一部としてあつらえようとするのも不思議はない。一国の大統領や王族が占い師を抱え込むこともあるくらいだから、きっと良いことがあるのだろう。

この豊かで驚異に満ちた分野をきちんと整理するために、いくつかのカテゴリーに分けて考えてみよう。

▼リーディングのタイプによる分類

サイキック・リーディングにはさまざまな種類がある。最も有名なものは次の二つだ。

[タロット占い（tarot）] タロット・カードとその象徴的な意味の解釈に基づくとされるリーディング。

[占星術（astrology）] 惑星その他の天体が人の性格や将来に影響を与えるという信念に基づくリーディング。

こうしたケースでは、リーディングを行なう人物が自らをサイキックだと主張しない可能性もある。自分が学んだのはまっとうな占いの学であって、医学を学ぶのと同じようなものだと言うかもしれない。このカテゴリーには、ほかにも次のようなものが含まれる。

[手相術（palmistry）] 手のひらにある線などの特徴に基づくリーディング。

[筆相学（graphology）] 手書きした文字に基づくリーディング（筆跡鑑定と混同してはならない。筆跡鑑定は犯罪捜査に用いられる合理的な手法だ）。

このほか、リーディングを行なう人物が自ら持っていると主張するサイキック能力の種類によって定義されるものがある。比較的よくあるのは次のようなタイプだ。

【交霊術（mediumship）】 霊媒が死者（サイキックは「霊界に入った人たち」と呼ぶ）との交信によって行なうとされるリーディング。スピリチュアリズム、「死者との会話」など。

【透視（clairvoyance）】 何らかの形のエネルギー、バイブレーション、印象を感知するサイキック能力によって、情報を得ること。

【サイコメトリー（psychometry）】 ある物に触れることによって、所有者や、その物の来歴についての情報を感知できるというもの。

【水晶玉占い（crystal-ball gazing）】 水晶玉、または水晶で作った同様の道具を見つめることで、何かを見たり感じたりできるというもの。

【オーラ・リーディング（aura readings）】 人の周囲に見えるという色のついたエネルギーに基づくリーディング。

【直感によるリーディング（intuitive readings）】 サイキックの中には特定のカテゴリーに入れられるのを好まず、単に直感の能力によって人助けをするのだと主張する人もいる。

一般的なサイキック・リーディングは、たいていこのリストのいずれかの型に当てはまるが、これ以外にもさまざまなものがある。

▼リーディングの内容による分類

リーディングの内容は多岐にわたるが、ここでは三つの主要なカテゴリーを挙げておけば十分だろう。

【健康】 健康や体調に焦点を合わせたリーディング。オーラ・リーディングはこのカテゴリーに当てはまることが多い。

【人格・性格】 健康状態だけでなく、性格や適性など、相談者のさまざまな面に焦点を合わせるもの。たとえば、筆相学はたいていこのカテゴリーに当てはまる。この種のリーディングは「サイキックによる性格プロファイル」とか「直感的性格分析」とかいったもっともらしい名前で呼ばれていたりするが、こうした名称は市場の流行に左右される傾向がある。

【全般】 健康や性格だけでなく、相談者の過去、現在、未来に関係のある、具体的な名前や場所、日付、出来事を感知しているように見えるサイキックもいる。透視はたいてい、このカテゴリーに分類される。

▼リーディングの提供方法による分類

サイキック・リーディングを提供する方法には、基本的に四つの種類がある。

【一対一で対面して】最も普通に見られるサイキック・リーディングは、サイキックが相談者と一対一で面と向かって行なうものだ。神秘的な品々を並べたサイキックの仕事場や、相談者の自宅、サイキックのイベント会場などが使われる。実のところ、どんな場所でも実施でき、野外の音楽フェスティバル会場でも、リオデジャネイロの太陽が照りつけるビーチでも構わない（この二つは私自身がリーディングを行なったことがある場所の例だ）。

【一対一で遠隔から】サイキックは相談者と顔を合わせることなく、電話、郵便、インターネットなどを通じてサービスを提供できる。新しいコミュニケーションのツールが発明されるとすぐ、誰かがそれをリーディングに利用し始めるわけだ。

【グループでのリーディング】サイキックがグループを対象にリーディングを行なうこともある。たとえば占星術師は、チャートが共通すると思われるグループの人たち（たとえば、あるスポーツチームの選手全員）に対してホロスコープを作成してほしいと依頼されたりもする。

【公開でのリーディング】野心に満ちたサイキックが大勢の観客の前で公開リーディングをすることもある。交霊術師はしばしば公開リーディングを行なう。

▼相談者（クライアント）のタイプによる分類

サイキックとサイキック・リーディングにさまざまな種類があるように、相談者のタイプにもいろいろある。一般的なタイプは次の二つだ。

［個人で、楽しみが目的］ 特にこれといった理由なしにサイキックのもとへ足を運ぶ人たちがいる。単にどんなことが起きるか見たいとか、ちょっとした冒険気分を味わいたいとかいうわけだ。

［個人で、問題を抱えている場合］ これが一般的なケースで、特定の問題や心配事を抱え、誰かの助けがほしいという人たちがサイキックに会いに行く。

本書では「コールド・リーディング」や「サイキック・リーディング」という言葉を以上のように定義しておく。

用語に関する補足

本書では、先ほど「サイキック・リーディングとは？」で取り上げたすべてのタイプについて、「サイキック・リーディング」という語を使うことにする。

共通しているのは、「人間が持つ普通の感覚」、「合理的思考」、「当て推量と運」では説明のつかない、個人に関する意味のある情報を提供できると、ある人物が暗黙のうちに、あるいは明確に主張しているということだけだ。

「相談者（クライアント）」は、リーディングの提供を受ける人物という意味で使うが、金銭の授受があるかどうかは関係ないことに注意してほしい。無料のリーディングを受ける場合でも相談者と呼ぶことに変わりはない。

ここでは「サイキック」という言葉を、このようなリーディングを提供し、しかもそのためにコールド・リーディングを使うすべての人を指すのに用いる。この点はいくら強調してもしすぎということはない。仮に、本物のサイキック（超能力者）が存在するとして、一方でサイキックのふりをしているが実はコールド・リーディングを使っているだけという人たちもいる。**本書で取り上げるのは、この後者だけだ。**

ついでに言っておくと、もし本物のサイキックが存在するなら、彼らはこの本を歓迎するはずだ。本書で説明するさまざまなテクニックを使って見せはするが、大した能力を持ち合わせていない者たちと、惜しげもなく自らの異才を世界に差し出す真のサイキックを、人々が見分けることに役立つからだ。

よくある誤解

コールド・リーディングとその機能に関してはさまざまな誤解がある。ここでは五つのよくある間違った見方を紹介しよう。いずれもコールド・リーディングと部分的に関係しているとはいえ、全体像からはずいぶん遠いところにある。

ボディ・ランゲージ

サイキックは相談者のいわゆる「ボディ・ランゲージ」に基づいてリーディングをしているのだと言う人がいる。ボディ・ランゲージとは、姿勢、顔の表情、癖、身振りなどを指す、非言語的コミュニケーションの研究において一般によく知られている用語だ。

後で見るように、ボディ・ランゲージはコールド・リーディングに関係する場合もあるが、たいていは些細（ささい）な役割でしかない。また、電話やインターネットを使った遠隔リーディングでは使いようがない。さらに、サイキックが相談者の過去に関係のある名前や日付その他の詳細を告げるのを、ボディ・ランゲージ理論で説明することはできない。

あれもこれも疑ってかかっていると見られる危険は承知の上で付け加えておくと（本当の私はそういう人間ではない）、私の見るところ、ボディ・ランゲージには「科学」として非常に怪しげなところがあると思う。ボディ・ランゲージの中で確かに正しい部分は自明のことに思え、自明でない部分はその正しさをちっとも実証できないようだ。とはいえ、ここではこれ以上深入りしないでおく。

鋭い観察

サイキックは相談者を鋭く観察することによって相手の性格、経歴、興味に関する手がかりを得ていると、懐疑的な人たちの一部は示唆（しさ）している。この考え方には、アーサー・コナン・

ドイルが書いたシャーロック・ホームズの物語が大きく影響しているのかもしれない。この有名なシリーズには、派手に振る舞う探偵が鋭い観察力だけを使って特定の人物のことを推察する場面がよく出てくる。

このテクニックは確かにコールド・リーディングの一つの要素ではある。コールド・リーダーの多くは、鋭い観察によって見事に「的中」させた経験がある。しかし、鋭い観察力がサイキック・リーディングの主要な側面でないのは明らかだ。サイキックの中には、相談者を見ることができない状況でリーディングを行なう人もいる。また、このような手がかりから読み取ったとは考えにくい情報を提供するサイキックもいる。

私の経験上、現実の生活でこのような推理ができる可能性は、コールド・リーディングに対して懐疑的な文献や小説が示唆するより、実はずっと限定されていると付け加えておきたい。観察に基づく推理がときとして非常にうまくいくということを受け入れたとしても、やはりそれほど重要な要素ではない。コールド・リーディングは、どうやって手に入れたにせよ、正確な情報を提供することが第一というわけではない。コールド・リーディングとは、何も知らないはずのことを知っているように思わせ、提供できる情報などほとんどないか、まったくない場合でも、あたかも何かを提供しているように見せるテクニックなのだ。

手がかりを「引き出す」

コールド・リーディングは相手から手がかりを「引き出す」ことだ、という説もよく聞く。つまり、相手が自分では気づかないまま情報を明かすように仕向けるというものだ。ここには一面の真実もある。コールド・リーディングには、情報を得るための微妙な策略が含まれることがある（あからさまに仕掛ける場合もある）。

とはいえ、「引き出す」ことは全体のごく一部の説明にしかならない。しかも実際に行なわれることの説明としてあまりに素っ気ない。腕の見せどころは、どのように情報を「引き出し」、手に入れた情報をリーディングの文脈でどのように利用するかという細部にある。

曖昧（あいまい）で一般的な言葉

サイキック・リーディングには、どんな意味にでも取れる曖昧で一般的な言葉しか使われない、という人もいる。こういう間違った説があまりにも頻繁（ひんぱん）に出てくるので驚いてしまう。「曖昧な言葉」説が当てはまるのは、サイキック業界の最も陳腐（ちんぷ）で表面的な部分でしかない。その良い例が新聞に載っている星占いで、これは完璧なまでにバカげている。こんなものを掲載する理由は、①ほかにマシな記事が見つからなかったか、②読者を迷信深い愚か者扱いして満足しているか、そのどちらかだ。

それ以外の事例では、「曖昧な言葉」説は理屈に合わない。コールド・リーダーの多くは相談者に、名前、日付、人や場所の詳しい描写など、非常に具体的な情報を提供する。

本書には、当て推量でなく、手がかりも、事前に得た情報もなしに、相談者の兄弟の名前を言い当てたサイキックの話が出てくる。また別の事例では、それまで二六年間にわたって相談者が続けてきた平凡とは言えない仕事を、サイキックが正確に言い当てている。どちらの事例でもリーディングを行なったのは、実を言うと私だった。こうした「驚くべき」具体的な情報を、私はどうやって提示したのか。すべては後ほど明らかになる。

引っかかるのは愚かで信じやすい人だけ？

サイキックに相談したり、サイキック・リーディングを信用したりするのは、愚かで人を信じやすく、すぐに騙されるような連中だと匂わせる人がいる。これはまったく事実に反する。どんな基準に照らしても非常に知性豊かで洞察力のある相談者はいくらでもいる。

あなたがコールド・リーディングの仕組みとそれをブロックする方法をよく理解していれば、リーディングを易々とあなたに信じ込ませることはできない。もし理解していなければ、おそらくそれは可能だ。あなたがどれほど頭脳明晰でも、どれほど資質に恵まれ、優秀であっても、そんなことは関係ない。そうした性質は、優れたコールド・リーダーにとって何の障害にもならない。

ついでながら、人を欺くどんな技術についても同じことが言える。人がどのように騙されるかを理解していれば、あなたは騙されない。しかし、人を欺く方法を知らなければ騙されるかもしれない。ロケット工学の専門家でも詐欺に引っかかる可能性はある。ロケットには詳しくても、人を騙す手口については何も知らないからだ。ある分野に精通しているからといって、別の分野でも優秀だという保証はない。

さらに言えば、騙しのテクニックそのものがきわめて幅広く、複雑な分野を形成している。それは一生かかっても研究し尽くせないほどで、高度に専門化した技術がたくさんある。ある分野（たとえばトランプのカード操作やギャンブル詐欺）のエキスパートでも、別の分野（たとえばスプーン曲げやコールド・リーディング）についてはほとんど何も知らないかもしれない。

コールド・リーディングを成功させる要素は数多いが、相談者が特に騙されやすい人物である必要はないし、ほとんどの場合はそうでない。

あなた自身がどの程度騙されやすいかを知りたければ、二五〇ページからの質問に答えてみてほしい。簡単なクイズだが、一〇〇〇人の回答者に試してもらった結果、九五パーセントの精度で騙されやすさ・信じ込みやすさを測定できることが分かっている。答えを見てびっくりするだろう。

第2章

コールド・リーディングの仕組み

心の言葉は主要な人類共通言語である。

——スージー・カッセム

〔一九七五— 米国の詩人、作家、哲学者〕

第2章の構成

本章では次の七つの節に分けて解説していく。

1．セットアップ　リーディングをスムーズに開始できるよう、サイキックが準備段階で使うテクニック。

2．主要なテーマ　サイキックがよく取り上げるテーマ。

3．主要な要素　多くのサイキックが使う、さまざまな言明や質問。ここでは三八の要素を四つのグループ（a〜d）に分けて説明する。

4．ウィン＝ウィン・ゲーム　サイキックが「失敗」を「的中」に変える方法。また、しでかした間違いを切り抜けるためのその他の方法。

5．プレゼンテーション　リーディングの効果を高めるのに使える提示方法。

6．まとめ上げ　サイキックが前記のさまざまなテクニックをまとめ上げて、リーディングを成功に導く方法。

7．懐疑的な相手への対処　懐疑的で「扱いにくい」相談者への対処法。

基本的な事例――一対一でのタロット占い

あらゆるタイプのサイキック・セッションについて、コールド・リーディングのすべてのテクニックを紹介するのは無理というものだ。そこで、事例としては基本的に、一対一でのタロット占いの場面を使うことにした。タロット占い以外に、前に挙げたどのタイプのリーディングにも同じ原則とテクニックを適用できる。

▼架空の会話

第2章には、サイキックと相談者の会話を多数掲載した。この会話は典型的なサイキック・リーディングを説明するためにこしらえた架空のものだ。主として私自身の経験に基づいているが、ほかのコールド・リーダーや研究者から得た情報も加味している。

これと対照的に第3章は、メディアの規準のもとで私が行なった実際のリーディングを文字に起こしたものだ。

両者の違いを心に留めておいてほしい。

▼女性を想定

第2章では、ほとんどの事例でサイキックも相談者も女性を想定している。男性のサイキックや相談者もいないわけではないが、ごく少数に留まっている。

相談者の大多数が女性である理由を考えてみるのは興味深い。騙されやすさとは無関係だ。そんな見方を口にする者は身動きできないよう袋に押し込んで、もうバカなことは言いませんと約束するまでボコボコにしてやるのが良い。

私は二つの理由があると思う。一つは、多くの社会的・文化的要因が女性に対し、自分に「直感的」な才能があると思うように仕向けていることだ。このため女性は、通常の意味では知り得ない事柄を把握する能力を持つ人もいる、という考えを受け入れやすくなるのかもしれない。

もう一つは、社会的・文化的要因が男性に対し、力と独立というイメージを抱くように仕向けるため、外部に助言を求めるのはこのイメージに合わない行動と感じてしまう、というものだ。女性はこういった種類の不安にさらされることが少なく、たいていの場合、他人から指導を受けることに比較的抵抗を感じない。

リーディングの仕組み

1/7――セットアップ

コールド・リーダーはセッションをスムーズに進めるため、リーディングを始める前にいくつかの手順を設定している場合がある。基本的には、リラックスした協調的な雰囲気を作り、相談者がコールド・リーディングのプロセスに文句をつけたり、妨害したりしないようにすることが目的だ。この目標を達成するために比較的よく使われるテクニックをこれから一つずつ見ていこう。これらのテクニックを全部使うサイキックもいれば、一つか二つしか使わないサイキックもいる。

顔合わせと挨拶(あいさつ)

郵便を使うなど、遠隔地からのリーディングを専門にしているサイキックもいるが、たいていはまず相談者と顔を合わせて挨拶することから始まる。ここをうまくこなして相談者を乗り気にさせられれば明らかに有利だ。サイキックには自然に振る舞える人好きのする人物が多い。そうでない者はこのような職業をあまり選ばないという単純な理由からだ。

そういうわけで相談者に会ったとき、大多数のサイキックは社交の上手な人が普通にやりそうなことをすべて試みる。感じの良い微笑(ほほえ)みを浮かべて相談者を迎え、少しばかり雑談をし、相手を心地良くさせる、といったことだ。ごくまれに、とっつきにくい謎めいた雰囲気を醸(かも)し出す方が効果的だと考えるサイキックもいるが、私はほとんど会ったことがない。

たとえこうした社交性を生まれつき持っていなくても、学習して身につけることができる。私がよく推奨する参考文献は、ニコラス・ブースマン著『90秒で〝相手の心をつかむ!〟技術』（*How to Make People Like You in 90 Seconds or Less*）〔邦訳は二〇〇一年、三笠書房刊〕だ（付録の☆3を参照、三六七ページ）。デール・カーネギーの古典、『人を動かす』（*How to Win Friends and Influence*

People）〔邦訳は一九九九年（新装版）、創元社刊〕も読む価値がある。

相談者の気持ちをほぐす

単に相談者を温かく丁重に迎えるだけでなく、できるだけ警戒心を解こうとするサイキックもいる。相談者が身を護ろうとして防御的な構えになるのも自然なことだから、そうなっているかどうかを知っておくためだ。サイキック、特に交霊術者は最初に、相手を心地良くさせる（いささか甘ったるい）言葉をかけることがある。

［例］「あなたをお迎えできて本当に光栄です。高い次元からもたらされる知恵を共有できるのが嬉しくてたまりません」

サイキックが（たとえば死についてなど）暗い話題ばかり口にしたり、話したくない秘密など、あまりに深い領域まで探り出したりするのではないか、と心配する相談者は多い。そのためサイキックは、リーディングを始める前に次のような言葉で相手を安心させようとすることも多い。

［例］「何も心配なさることはありません。これから見ていくのはあなたの人生のポジティ

ブなトレンドです。将来起きることを最大限に活用し、できれば新しい有益な視点を獲得できるようにお手伝いするのが目的です。誰の人生にも光と影がありますが、雨の降る日々ではなく太陽の輝く時期に集中したいのです。お分かりいただけますか?」

親密な雰囲気を作る

サイキックはリーディングを行なう環境を常にコントロールできるわけではない。路上やビーチ、クラブやパーティ、音楽フェスティバルの会場などで、特別な雰囲気を作り出すのは難しい（私はいま挙げたものも含めて、さまざまな場所でリーディングを行なってきた。中にはここで紹介しにくい場所もある）。

しかし、自宅や観光名所に近いテントなどのようにコントロール可能な環境であれば、リーディングを成功に導く環境を作ろうとするかもしれない。たとえば神秘的な感じの絵を飾り、柔らかい照明を使い、香を焚き、静かな音楽を流す、といったことだ。これはリーディングを演劇的なものにし、舞台をそれにふさわしく調える効果を期待しているわけだ。そこまでするサイキックは少ないが、残念なことだと思う。

これに対して、ビジネスコンサルタントのような、すっきりしたイメージを好むサイキックもいる。この場合は、それに見合った家具（体が沈み込んでしまいそうな革張りの大きなソファなど）や、普通の小さな事務所で見かけるような備品（古くさい年間予定表、壊れかけのコンピューター、くたびれたコピー機など）を用意することになる。分厚いカーテンやロウソクを飾り付けに使ってクジラの歌を流すようなやり方に比べると退屈だが、ずっと簡単で費用もかからず、ごちゃごちゃする心配もない。

親密な雰囲気を醸し出すための方法がどうであれ、狙いは相談者が挑戦的になったり自分の意見を主張したりせず、儀式に参加しているような感覚を持つようにすることだ。儀式というのは、通常の意識による反応（「待てよ、こんなの何もかも無意味じゃないか」）を抑え込んで、行動の条件づけを行なうための優れた方法だ。だからこそ、世界中のどの宗教にも、どの軍事組織にも儀式がある。儀式に加わった時間が長ければ長いほど、そこから自由になるのは難しくなる。

適切な飾り付けを施す以外に、親密な雰囲気を作るためにサイキックが使える手段としては、普段よりもソフトな声や共感を示すボディ・ランゲージがある。

サイキックとしての信用度を印象づける

「この人物は経験も自信もあって信用できる」と相手に思わせたら、得るところが大きく、失うものは何もないということを、サイキックはよく知っている。権威と熟練の雰囲気を醸し出すことは非常に有用で、そのための方法はいくつかある。

最もよく使われる方法の一つは、サイキックの驚くべき能力に対する、これまでの相談者による賛美の言葉を提示しておくことだ。「○○タロット研究センター」とか「お金に関するオンライン大学コース修了証書」とか、学術っぽい名称の機関が発行した証書を掲げておくという手もある。こうした証言や証書は、もしかしたら本物かもしれない。しかし、デスクトップ・パブリッシングや手軽に印刷できるサービスの普及した今日では、誰でも簡単にそれらしいものを作成できてしまう。

それ以外に、適当な参考図書をまわりに並べ、タロット・カード（であれ何であれ自分が選んだ技法）は研究の対象となり得る広い分野なのだと思わせる方策も有効だ。リーディングの途中で細かい解釈を「はっきりさせる」ために分厚い本に手を伸ばす、というのはなかなか気が利いている。

信用度を高める方法として、良質な小道具を使うというのもある。美しい絵が描かれた質の良いタロット・カードなら、安物のカードよりもぐんと信頼感が増す。私がよく使うのはＵＳゲームズ・システムズ（U.S. Games Systems）社の「メディーバル・スカピーニ（Medieval Scapini）」で、これは本当に美しいカードだと思う。

私はＵＳゲームズ・システムズ社と何の関わりもなく、純粋に自分の気に入ったカードを推奨しているだけだということを付け加えておきたい。とはいえ、もし同社が私のコメントを気に入ってくれ、感謝の気持ちとして何組ものカード（あるいは相応の金額）を提供したいということなら、私は喜んでその申し出を受け入れるだろう。ただ、本書の今後の版において私の推奨品目が「進化」して、私の貴重な判断をいくぶん高く評価し、気前の良いところを見せてくれる他社のカードに移ることもあるかもしれない。

見かけや手触りが古風なカードを使うのも役に立つ。実際に古いカードを購入してもいいし、新しいカードを買ってきて人為的に古びた風合いを出す方法もある。偽造テクニックの一つは冷めた紅茶に浸してからオーブンで軽く焼くというもので、これによってそれらしい感じを出せる。

サイキックが実際に話す内容も信用を勝ち取るための重要な要素となるのは言うまでもない。たとえば、これまでにリーディングを依頼してきたＶＩＰや有名人のことをほのめかす場合もある。そういうお墨付きが大きく物を言うのはどこの業界でも同じだ。もちろん、ほとんど意味はない。誰かが俳優として優れていても、サイキックの能力を正しく判断できるとは限らないからだ。しかし、われわれが生きているこの時代においては、少しでも名が知られメディアでもてはやされればビジネスで有利になる。もちろんサイキックもこのことを利用してきた。

リーディングの体系を信用させる

サイキックは自らの信用度を高めるとともに、タロット・カードなど、自分が提供するリーディングの体系についても、信用できるというイメージを植え付けようとする。そうすることで相談者がリーディングを、厳粛に、とまではいかなくても、真剣なものと受け止めるように仕向けられる。たとえばサイキックは、タロット・カードの長い歴史やその効力を証言する大勢の人々に言及するかもしれない。

相談者はこうした言葉によってリーディングを、貴重な知恵の詰まった意義深い発見の過程として尊重するよう条件づけられる。最初に信念体系を固めておくことは、つまらない疑問を封じるのにも役立つ。中世ヨーロッパに起源を持つ一組七八枚の絵付きカードが、どういうわけで自分の恋愛運や仕事運について情報をもたらすのか、という疑問を相談者に抱かせても、リーディングの役には立たない。

相談者が前にリーディングを受けたかどうかを知る

セットアップのとき相談者に、これまでにリーディングを受けたかどうか、もし受けたのならどのくらい前かを尋ねるのもいい。この質問をする主な理由は、同一の人物に対して互いに相容れない話をしてしまわないようにすることだ。前回のリーディングから二、三カ月も過ぎていれば、今回の内容と食い違いが生じても、重点の置きどころが変わったとか、解釈の違いだとか、「影響」の変化だとかのせいにすることができる。

サイキックは自分が通常とかなり違う方法を使っているとか、これは長い年月をかけて自分で編み出したやり方だとか、わざわざ言い添えておくこともある。ほかのサイキックが言ったことと自分が告げることとの間に食い違いが生じても、切り抜けるのに役立つからだ。

協調的な解釈を促す

タロット占い（あるいはその他の占い）が厳密な科学でなく、そこにはある程度の解釈が含まれることに、サイキックは用心深く言及しておく。その目的は、サイキックと協調し、力を合わせることが要求されていると相談者に思わせることだ。たとえば、サイキックはこんなふうに言う。

［例］「このカードが何を告げようとしているか、いつも分かっているなどと言うつもりはありません。ときには霧に包まれたように視野がぼんやりしていて、私よりもあなたの方が正確な意味を理解できる、ということだってあります！　このことを忘れないようにしてください。いいですね？」

相談者はこの言葉によって、自分の立場がサイキックの語る知恵の言葉をただ黙って受け取る受動的なものでなく、リーディングに積極的に関わる（有用な情報を提供する）必要があると思うように仕向けられる。

実際にはもちろん、相談者が自発的に情報を提供して、サイキックが物事を正しく言い当てるのを手伝わせることがポイントなのだ。相談者の多くは、くどくど言い含める必要などほとんどない。サイキックが見当違いのことを言ったときも、その言葉がうまく当てはまるところを見つけられなくて申し訳ないと、自分の方が謝る相談者もいるほどだ。

ほとんどの相談者はリーディングがうまくいってほしいと思っていて、助けになるならどんなことでも進んでやろうとする。うまくいかなければ時間の無駄になるからだ。そのため、自分の頭に何が浮かんでいるか、どんな話を聞かせてほしいかを自ら告げてくれる相談者が多い。こうしてコールド・リーディングの困難な部分がかなり緩和され、「サイキック」能力の有無などそれほど重要ではなくなっていく。そういう流れになって不満を口にするサイキックはほとんどいない。

失敗したときの言い訳を用意しておく

サイキックはリーディングの前に、明らかに間違ったことを言ってしまったときに備えて言い訳をしておくのが普通だ。また、常にすべてを正しく言い当てられるわけではないことを、相手にはっきり伝えておこうとする。たとえば、こんなふうに。

[例]「正直にお話ししますが、私はときどき間違うことがあります。常に正確に指摘できたらいいのですが、けっきょくのところ私だって人間ですからね。もちろん最善は尽くしますけれど。分かっていただけます?」

こういう態度をとると本当に正直そうに感じられるので、相談者はサイキックが努力してくれていると好意的に見るようになる。そして相談者は、自分もできるだけ手助けしようという心の準備ができる。

明るく穏やかな調子でこういう話をしておくと、リーディングは順調に滑り出す。もちろん本当の目的は、リーディングの中で完全に間違ったことを言ってしまったときに、それを引っ込めやすくしておくことだ。

きびきびと迅速に進める

既に明らかにしたように、環境と個々のサイキックのスタイルによってリーディングのセットアップの内容は異なる。路上で簡単に行なう場合は、手っ取り早くリーディングを始める以外にやれることはほとんどない。これに対して、たとえばヴィクトリア朝のスタイルで派手な交霊会を行なう場合なら、サイキックは私が説明したすべてのテクニックを駆使し、さらにほかの方法もいくつか利用するかもしれない。

しかし、かなりの時間をかけて手の込んだ演出をする場合を除いて、ほぼどんなタイプのリーディングにも有用なセットアップのテクニックが一つある。それは、熟練を匂わせることだ。どんな分野であれ、それを専門に続けてきた人を見るとほっとするものだ。「私は自分が何をしているか承知している。これはいつもやっていることで、信頼してもらっていい」というプロフェッショナルな態度で、てきぱきと効率よく作業を進める姿に安心感を覚えるのだ。歯の状態を判断する歯科医から、食事を提供するシェフや、車のエンジンをチェックするメカニックまで、それは誰にでも当てはまる。

リーディングを提供する場面でも同じことだ。適切な雰囲気を作る、信念体系を強化するなど、これまでいろいろな側面を説明してきたけれど、私が会った最も優れたサイキックたちは、状況が許す限りなるべく迅速に、自信を持ってリーディングを開始する傾向があった。「自分のやっていることはよく分かっているから、リラックスして熟練の技を見守ってくれればいい」という感覚を、彼らは相手に伝えたいと思っていた。

ためらう素振りを見せたり、言葉を詰まらせながらたどたどしく話したりするのではなく、きびきびと自信たっぷりにリーディングを始める方が、ずっと説得力がある。なるべく迅速にリーディングに入るというのは、相談者に投げかけて考えさせ、反応してもらう内容が最初からあるということで、懐疑的な思いやつまらない疑問を封じるのにも有効だ。

＊＊＊

セットアップについての説明は以上だ。第2章は七つの部分に分かれていて、これで最初の節が終わったことになる。次の節では、サイキック・リーディングにおける主要なテーマを取り上げる。

リーディングの仕組み

2／7――主要なテーマ

ここまで、リーディングを順調に進めるために、サイキックが前段階でどんなセットアップを試みるかを見てきた。次にくるのは、リーディングそのものを開始する段階だ。

サイキック・リーディングは「テーマ」（何について語るか）と「要素」（実際に何を言うか）からなっている。要素については次の節で扱う。

テーマはリーディングの基礎となる形と構造を提供し、相談者の人生との関わりを確保する。コールド・リーダーが扱う主要なテーマは、**職業**、**健康**、**人間関係**、**お金**の四つだ。

このほか、やや小さいテーマが三つある。一般には、前の四つほど重要ではないが、ときとして大きな成果をもたらすことがある。それは、**旅**、**教育**（および新しい知識の追求）、**野心**（希望と夢も含む）だ。

経験上、これらのテーマは大多数の相談者にとって、ほとんどの場合に最も重要なものだと言っていい。これらはいずれも、非常に広い解釈の余地がある。「旅」については、文字通りの解釈（「水をわたる旅」など）も可能だが、比喩的な意味（「孤独な身から恋する者への移行」など）にも使えることに注意してほしい。「教育」は学校で過ごす時間そのものを指すこともあれば、人生から学ぶことを意味する場合もある。

私の「スーパー・サイキック・リーディングズ」システムには、それ以外のテーマも含まれている。これを参照すればさらに多様なリーディングが可能になり、過去の出来事や相談者のパーソナリティについて、もっと正確に語れるようになるが、この本の範囲を超えるのでここでは触れない。

＊＊＊

次の節では、リーディングを実際に構成する要素を見ていこう。リーディングを（全体として）確実なものにする三八の方法を、四つのグループ（a〜d）に分けて紹介する。

リーディングの仕組み　3／7――主要な要素

これまでに、リーディングを組み立てる基盤となる「セットアップ」と「主要なテーマ」を見てきた。しかし、サイキックは実際にどんなことを話すのだろうか？

ごく単純なリーディングにおいてサイキックは、決まりきった文句（「ストック」）を使うことがある。これは前もって用意して記憶している言葉（対象となる集団に応じて分類されているもの）を口にしているにすぎない。第4章「その他の補足」にこうしたストックをまとめておいた。

私が会ったサイキックの中には、印象的なストックを持っていて非常にうまく使いこなしている人がいる。一方、分かりきった単純なやり方でストックを使い回すので、あまり説得力がないサイキックもいる。

きわめて柔軟な形でのコールド・リーディングに、あらかじめ用意したストックなどは含まれない。そこにあるのは、実際に意味している以上の意味を持つかのように見える、さまざまなタイプの言明（および質問）だ。このような言明のタイプを、ここでは「要素」と呼ぶことにする。こうした要素を積み重ねることにより、サイキックな性質のリーディングだという幻想を生み出す効果が生じる。

ここからは、私の知っている三八種類の有用で生産的な要素を説明していく。それぞれの要素には、参照しやすくするため容易に区別できる名前をつけてある。また、各要素は次の四つのグループに分類される。

a　性格に関する要素
b　事実や出来事に関する要素
c　情報を引き出す要素
d　未来の出来事に関わる要素

これらの分類は厳密なものではない。あるグループの要素が別のグループに分類されていてもおかしくない場合がある。

これらの要素についての説明を読む際は、後の節でどんなことを取り上げているかを念頭に置いておくといい。

- **要素がうまく機能しない場合、サイキックは何をするか**（「ウィン＝ウィン・ゲーム」、一七五ページ）
- **提示の仕方がどう機能するか**（「プレゼンテーションの方法」、二〇〇ページ）
- **コールド・リーディングのプロセス全体をどうまとめ上げるか**（「すべてをまとめる」、二二七ページ）

a　性格に関する要素

第一のグループは、主に相談者の性格や人となりに関わる要素だ。

虹色の戦略

「虹色の戦略（Rainbow Ruse）」とは、相談者の性格についてある傾向を指摘すると同時に、それと対極にあるような傾向についても述べるものだ。たとえばこんなふうに。

［例］「あなたはとても思いやりがあって、惜しみなく他人に与える人ですが、素直に振り

返ってみれば、ときとして自分の中に利己的な傾向を見ることもあります」

この例では相談者について、無欲であると同時に自分本位な人だと述べている。この方法には無数のバリエーションがあって、内向的なのに外向的、シャイなのに自信家、信頼できる人なのに無責任なところもある、などと応用できる。虹の中にあらゆる色が含まれているように、一方の極から反対側の極までの間で、あらゆる可能性を取り込んでしまう。「虹色の戦略」はコールド・リーディングで非常によく使われる要素だ。聞いていて心地良く、洞察に満ちた言葉に思える。もう一つ例を挙げよう。

［例］「たいていは物静かで控えめに振る舞っていますが、状況が調（ととの）っている場合、気分しだいでは場を大いに盛り上げる役にまわることもできる方ですね」

この種の言明を作り出すのは難しくない。まず、性格の一般的な傾向を考える。次に、相談者はその性質を備えているが、その性質が欠けてもいると表現する。最後に、時間、状況、気分、潜在的な可能性に言及しつつ、二つの両極的な表現を一つに結びつける。先ほどの例では、「状況が調っている場合」という条件をリンクに使っている。「また別の折りには」とか、「でもあなたには、潜在的な可能性もあるのです」とかいった表現もリンクとして使いやすい。

この要素は単純で効果的なだけでなく、よくある性格上の欠点をそっとユーモアに包んで指摘したいとき、応用範囲が非常に大きい。たとえばこんなふうに。

[例]「本来のあなたはきちんと整理し片づける能力を持っていることが分かります。しかし同時に、その能力が常に発揮されるわけではないことも示されているようです。ときとしてこの天性の能力に、少しばかり見放されているように見えることがあります」

「虹色の戦略」による言明が有効なのは、たいていの性格傾向が静的でなく、定量可能なものでもないからだ。常に社交的だったり、常に内向的だったりするような人はめったにいない。状況によってときには社交的になり、ときには内向的になる人が大多数なのだ。さらにある人を、外向的—内向的というスケール上のどの点に位置づけるべきか、客観的に評価する方法は存在しない。

▼量を明示する言葉を避ける

「虹色の戦略」で重要な点は、量について反論されないようにすることだ。量を明示する特徴を扱う場合、このタイプの言明はあまりうまくいかない。どういう意味で言っているかを理解してもらうために、次のような場面を想像してほしい。経験の浅いコールド・リーダーが、リーディングの中で仕事のことに触れようとしている。コンピューターや最新テクノロジーを扱う相談者の能力についてコメントしようとして、たとえば次のように言ったとしよう。

［良くない例］「これはあなたが現代の世界と調和していることを示しています。新しい技術の発展、つまりコンピューターやインターネットなどに恐怖を感じることはほとんどありません。しかし、ときにはこの分野に圧倒されるように感じます。多くの人と同じように、マイクロチップの時代に困惑を覚えることがあるのです」

構造としては「虹色の戦略」にぴたりと当てはまっているけれど、この例には欠点がある。ここで取り上げた傾向は、どのくらいあるかを量的に示せるので、事実をもって反論されるおそれがある。たとえばこんなふうに。

［相談者］「実を言うと私は、もう一五年間データ処理部門を率いていて、手のすいた時間に最新技術のレクチャーもしています。この分野に圧倒されるように感じたことなんて一度もありません」

サイキックはそれほど気にしないかもしれない。というのも、切り抜ける方法は何通りもあるからだ（「ウィン＝ウィン・ゲーム」、一七五ページ参照）。それでもこの例から、「虹色の戦略」が普通は量とあまり関わりのない特徴に適用される理由がよく分かる。またサイキック・リーディングは、事実や現実よりも潜在的な可能性について述べなければならないことも明らかだ。

細やかな褒め言葉

「細やかな褒め言葉（Fine Flattery）」を使うのは、相談者をそれとなく持ち上げて調子を合わせてもらえるようにするのが目的だ。たいていの場合、「普通の人」や「あなたのまわりにいる人」を引き合いに出して、わずかにではあっても相談者の方が間違いなく良い、と伝える。

良くないいのは次のような褒め方だ。

【良くない例】「あなたはとても誠実な方です！」

これでも褒めているには違いないし、事実かもしれない。しかし、コールド・リーディングとしてはお粗末なやり方だ。まず問題なのは、これがお世辞そのものに聞こえることで、実際それだけでしかない。多くの人はこういった臆面もないお世辞など信用せず、即座に拒絶してしまう。次に、サイキックが使っている（ことにしている）体系と何の関係もないという問題がある。さらに、ほかの人たちについての言及もまったくない。

同じようなことを言うにも、ちょっとした工夫で細やかな褒め言葉に変えることができる。たとえば、誰かの腕時計を渡されて、サイコメトリーによるリーディングを行なう場面だとしよう（サイコメトリーとは、相談者の所有物や過去に使っていた物から相手のことを読み取るとされる方法のこと）。たとえば、こんなふうに。

［例］「あなたは多くの人と比べて、いくらか誠実で信頼できる人だと感じます。聖人ではありませんが、本当に大事な場面では信頼されることがいかに重要かを理解しています。価値観をしっかり持っていて、いつもうまくいくとは限りませんが、その価値を守って生きようと努めています」

これだけの言葉を費やして述べているのは、「あなたは基本的に誠実である」ということでしかない。しかしこんなふうに言えば、洞察に満ちた言葉のように聞こえるのだ。

誠実さという特性は「細やかな褒め言葉」要素の基本として使うのに適している。大多数の人は自分を誠実だと思いたがっているからだ。同じように役に立つ性格特性はこのほかにもいろいろあって、比較的安心して使えるのは次のようなものだ。

・勤勉で仕事熱心
・公平な考え方
・温かく、愛情深い
・独立心がある

「細やかな褒め言葉」として特に効果的な二つの特性に触れておきたい。これはいつでも使えて効果を発揮し、困難なリーディングを長く維持してくれるものだ。いざとなったら非常用のパラシュートとしてすぐ使えるよう、私は常にこれを用意している。それは次のようなものだ。

・世の中の流儀について「本で学んだ」のでなく、経験から苦労してつかんだ知恵を持っていること。
・相手と仲良くなる方法を知っていること。

もう一つ、霊媒がこの要素を使う場面の例を見ておきたい。相談者の亡くなった親戚からのメッセージを受け取っているとして、この霊媒は「あなたは賢明である」ということを基本にした「細やかな褒め言葉」を使っている。

[例]「あなたの亡くなったおばあさんと、いま一緒にいます。常にうまく伝えられたわけではないけれど、いつだってあなたに感心していたことを分かってほしいと、おばあさん

は私に言っています。まわりの人が思っている以上に、あなたは鋭く、世の中の流儀について よく理解していて、頭が良いとずっと思っていたそうです。あなたの知恵は体を張って身につけたものだと、笑ってらっしゃいますよ！」

相談者への褒め言葉は、コールド・リーディングのプロセス自体を和らげるような形で使うのがうまいやり方だ。たとえば、相談者をとても「開かれた心」の持ち主だと褒めた場合、サイキックの能力を全体として認めてもらえる可能性が高くなる。

サイキック感覚の称賛

「サイキック感覚の称賛（Psychic Credit）」とは、相談者に何らかのサイキック能力ないし直感力が備わっている、あるいは少なくともそうした能力を持つ人を受容している、と称える言葉のことだ。これを「細やかな褒め言葉」の特殊な例と見ることもできる。

「細やかな褒め言葉」と同様で、単純に相談者を褒めて気に入ってもらえると期待するのはまずい。下手をすると相談者に疑念を抱かせてしまうので、もっと繊細なアプローチが必要になる。タロット・カードによるリーディングの例をお目にかけよう。

［例］「このカード、『ワンド（杖）のキング』は一般に、ある種の知覚能力、ないしサイ

キック能力を示します。もちろん、そういう能力は誰にでもありますが、人によってさまざまな違いがあります。あなたの場合、個人的な特徴を表す上位の三つ組の二番目のカードに表れています。直感的な才能が非常に強く、鮮明だと出ているのです。『コインの8』が同じラインでの支えとなっているので、金銭問題に関して超常的といってもいいほどの洞察力があります。誰もができるわけではない仕方で価値を察知できるのです」

念のためにここで明らかにしておくと、この例では、後で述べる「専門語のたたみかけ(Jargon Blitz)」要素(一三六ページ参照)を多用している。「上位の三つ組」や「同じラインでの支え」といったフレーズは仲間内での符丁にすぎない。それでも語られている内容は意味ありげに聞こえる。大事なのはそのことだけなのだ。

「サイキック感覚の称賛」は、さまざまなリーディングに広く使われている。実際のところ、あなたにはこの種の能力が欠けていると相談者に伝えるサイキックはめったにいない。また、「サイキック感覚の称賛」を使う場合、次のようにちょっとした「証拠」を添えることが多い。

[例]「あなたがよく発達した独自のサイキック感覚の持ち主であることが、ここに示されています。たぶんあなたは、しばらく音沙汰のない誰かのことを考えていたら、まさにそ

の瞬間、その相手から電話がかかってくる、という経験をするタイプの人ですね！　思い当たるところがありますか？」

多くの相談者はただちに、まさにそういうことが自分の身に起きたと認めるだろうし、それも無理のないことだ。そんなことはよく起きている。しかし、懐疑的な人たちが口を酸っぱくして言うように、これは超常的な直感力の証拠でも何でもない。あなたは自分の知っている人のことをしょっちゅう考えるだろうし、電話もしょっちゅうかかってくるはずだ。たいていの場合は両者に何のつながりもなく、すぐに忘れてしまう。しかし、そのときあなたの思い浮かべていた人がたまたま実際に電話してくると、驚異的なことに思えて記憶に残るというわけだ。自分には多少のサイキック能力があると、誰だって思いたくなるのではないか？

▼相談者の性別による違い

相談者自身にサイキック感覚があると信じ込ませる手法はいろいろある。女性の相談者に対してよく使われるのは次のような言葉だ。

［例］「たぶんあなたの中にサイキックな感覚があって、あれっと思うようなことが起きているはずです。たとえばなんとなく、きちんと化粧しなければという気になったとき突然

ノックの音がして、ドアを開けてみると、あなたがいちばんきれいな顔で会いたいと思っている人が立っていた、とか」

相談者が男性の場合、男の自我を刺激しそうなことに少し形を変えて表現するといい。

［例］「あなたはとても実際的な人ですが、間違いなくサイキックな洞察力をお持ちです。あなたにはずいぶん鋭いところがあって、人の心がよく読めます。第六感のようなものが発達していて、ビジネスや交渉の場で高い能力を発揮できます。直感的な面があるというのは、ほかの多くの男性に比べて、女性と大いに心を通わせられるということです。あなたに自覚があるかどうかは別にして、そういうところに多くの女性が魅力を感じています」

「サイキック感覚の称賛」は、コールド・リーディングの要素として非常に頼りになるもので、サイキック・リーディングの支えとなる信念体系を強化するという明らかなメリットもある（「セットアップ」の「リーディングの体系を信用させる」を参照、五一ページ）。

シュガー・ランプ

「シュガー・ランプ（Sugar Lumps 砂糖の塊（かたまり））」というのは、つまらない話を信じてくれたお返しに、砂糖のように甘く心地良い言葉をかけるというものだ。一般に「シュガー・ランプ」には、リーディングに含まれるサイキック「分野」を相談者が価値あるものと認め、明らかにされる見事な洞察を自分のために役立てようとする態度を評価する言葉が使われる。

［例］「あなたの心は善良で、人に対しては温かく、愛に満ちた接し方をします。タロット・カードはしばしば、冷厳な事実ではなく、感情や直感について語ります。タロットであなたを占うのが特にうまくいく理由の一つは、あなた自身が強い直感を持っていることなのかもしれません。私の受ける印象は、ほかの多くの相談者よりも、あなたの方がずっと強いのですよ」

「開かれた心」を持っていて「さまざまな種類の知恵を受け入れている」と相談者を持ち上げるのは、ほとんど欠かすことができない要素と言っていい。これは油断のならない、ずるいやり方だ。というのも、売りつけられているナンセンスを相談者が信じる気持ちになればなるほど、サイキックは、①相談者を満足させて帰し、②また占ってもらいに（できれば友人をたくさん連れて）くるよう仕向けることが楽にできるからだ。

「シュガー・ランプ」は、サイキックの語るナンセンスな話への抵抗を弱め、懐疑的な態度を和らげるために使うこともできる。こういう場合、疑う気持ちを抑えさえすれば相談者がどれほど素晴らしい、愛すべき人になる可能性があるかを指摘する方向に修正を加える。

［例］「どういうわけか、かなり守りの姿勢が強くなっておられるように感じます。まるで安全な自分だけの小さな城に閉じこもってしまったみたいに。これは残念なことです。なぜって、もっとたくさん光を浴び、愛を受けとめる人になれるかもしれないのに、あなた自身がそれを遮断してしまっているからです。人生に対してもっと幅の広い見方をして、新しい考え方にもっと心を開くようにならなければならないことがここに示されています。ずっと探し求めていた答えが見つからないとも限りませんよ！」

これは（砂糖をたっぷりまぶしてはいるけれど）、受け入れられたい、愛されたい、という自然な欲求を利用した、感情による強烈な顔面パンチ以外の何ものでもない。また、疑いを抱くこと、疑問を持つこと、信じないことが、いかにネガティブな態度かを強調する場合もある。さらに、ちょっとばかり科学っぽい装いを施して効果を高めようとすることもある。すべて商売のためだ。

ジェイクイーズ・ステートメント

「ジェイクイーズ・ステートメント（Jacques Statement ジェイクイーズの言明）」とは、誰もが通過する人生のさまざまな段階について述べるもので、この名称はシェイクスピアの『お気に召すまま』に登場するジェイクイーズが「人生の七つの時代」について語る有名な場面からきている。

「ジェイクイーズ・ステートメント」は、一般的な通過儀礼、成熟し大人になるまでの過程で誰もが出合う典型的な問題から引き出した要素だ。この方面に関してコールド・リーディングに関する文献の多くは、ゲイル・シーヒー（一九三六－二〇二〇　米国の作家、ジャーナリスト）が一九七六年に出した『パッセージ　人生の危機』（*Passages: Predictable Crises of Adult Life*）という本に言及している（付録の☆4、三六七ページ参照（邦訳は一九七八年、プレジデント社刊））。この優れた本は「大人の生活における予見可能な危機」と著者が呼ぶものを分析している。コールド・リーディングのために、あるいはそれ以外の目的でこの分野を研究したい人にとって、シーヒーの著書はいまなお卓越した文献だ。私の持っている本は、何度も読み返してボロボロになっている。

「ジェイクイーズ・ステートメント」の例として、リーディングで私が使っているものをお目にかけよう。三十代の半ばから後半、あるいは四十代初めの相談者にはぴったりだ。

［例］「素直に考えてみてください。若い頃に抱いていたあの夢や大きな野心はみんなどうなってしまったのだろう、と不思議に思うことがよくありますね。決まりきったやり方はもうやめだ、何もかも棄（す）てて今度は自分のやり方でやり直したい、そんなふうに思ってい

る部分が、あなたの奥深いところにあるのではないですか？」

ここで取り上げる多くの要素と同じように「ジェイクイーズ・ステートメント」も、印刷されたページの上ではあまり効き目がありそうに見えないかもしれない。しかしサイキック・リーディングの場面で、提示する内容と声の出し方を間違えずに使えば、大きな効果を発揮する。

▼発揮できずにいる才能

二十代前半くらいの相談者に適した「ジェイクイーズ・ステートメント」は、これと少し異なっている。この年代は、まだこれから身を立てていこうという段階だからだ。

［例］「素直に考えてみてください。あなた自身のアイデアや才能や能力が十分認められていないと、不満を感じることがよくあるでしょう。自分に何ができるかを示す機会を得るために、苦しい思いをしなければならないことが何度もあったでしょう。

あなたはもう十分大人だから、まだまだ学ばなければならないことがたくさんあることは理解しています。それなのに、ほかの人たちが自分の流儀に凝り固まっているのに気づくことがよくあるはずです。その機会さえ与えてくれたらあなたがどれほど貢献し得るか、その人たちには理解できないのです。あなたはときどき、そのことを大きなストレスと感じていたはずです」

この要素はいろいろな種類のサイキック・リーディングに応用可能だ。私の経験では、タロット・カードや占星術によるリーディングで非常にうまくいくことが分かっている。率直に言って、ここに取り上げた要素の多くはけっして保証つきというわけでなく、しっくりこない場合もある（そのため、本書の後の方でトラブルから抜け出す方法について述べている（「ウィン＝ウィン・ゲーム」、一七五ページ参照）それでも、「ジェイクイーズ・ステートメント」をうまく使うと、たいていの場合は心からの同意を得られるはずだ。だからこそサイキックは、この要素を頻繁（ひんぱん）に取り上げている。

隣の芝生

「隣の芝生（Greener Grass もっと緑の鮮やかな芝生）」という要素は、誰もが自分の選ばなかった生き方に未練を感じているという事実を基盤としている。先ほど述べた「ジェイクイーズ・ステートメント」の一種とも言えるだろう。

混雑した都市部にずっと住んでいる人は、もっとひなびた場所でのびのびと過ごす穏やかな暮らしに憧れることが多い。逆に田舎暮らしばかりだった人は、便利で快適な、そして興奮に満ちた（と伝え聞く）都市生活に憧れるか興味を持つかしているだろう。向こうの芝生はもっと青々としているのではないかと、たまに思うことなく生きていける人はほとんどいない。

オフィスで働く人たちは決まりきった仕事ばかりさせられることに飽き飽きして、もっと多様な、変化に富んだ生活を切望するようになることが多い。逆に、ジェット機でめまぐるしく飛びまわり、二日続けて同じ国にいることもめったにないような人は、空港（と機内食）やホテルや長距離電話から開放されて、もっと落ち着いた生活を送りたいと願っているかもしれない。

そんなふうに人生は数限りない選択の連続だから、もしあのとき別の道を選んでいたらどうなっただろう、と誰しも思わずにいられない。たとえば、相談者が管理職として成功を収め、そのことに苦しみも味わっている人のように見えたとしよう。サイキックはその方向に沿って、たとえばこんなことを言うだろう。

［例］「あなたは物質的な成功と専門分野での業績を手にする人だということが示されています。その達成は、あなた自身の活力と物事を成し遂げる能力の反映です。あなたは結果を出す人で、その能力によって当然の報酬を手に入れたのです。

しかし、それなりの代償も払ってきました。大っぴらに言いふらすようなことはないかもしれませんが、平穏で安定した家庭を望む気持ちが心の奥にあるように感じます。それがあなたにとって深刻な問題だったとまでは言いません。しかし、仕事に対して忠実だったことで、必ずしも期待したほど報われたわけではないでしょう。

ときおりあなたは、自分の中の家庭的な傾向について考え込むことがあって、もっとそういう面を開花させる余地がないかと思案しているように感じます。あなたの中で、この部分に葛藤が生じていたように思います。これから一八カ月ほどの間に、あなたはきっとこの問題を解決するための行動を起こすでしょう」

次に、主婦として一日中、家と家族のことを中心に過ごし、満足して暮らしている相談者の場合を想像してみてほしい。前と同じ「隣の芝生」の要素であっても、今度はかなり様子が違っている。

[例]「家庭的な傾向が強く、しかもその面を存分に発揮して、安心感や安定感を得てきたことが分かります。誰もが上手に家庭を切り盛りできるわけではありませんが、あなたなら大丈夫です。

しかし、安定した家庭生活にもマイナス面があります。大っぴらに言いふらすようなことはないかもしれませんが、もっと華々しい経歴がほしい、少なくとも家の外で何かを達成する道を見つけたい、と望む気持ちが心の奥にあるように感じます。それがあなたにとって深刻な問題だったとまでは言いません。しかし、家と家族に対して忠実だったことで、必ずしも期待したほど報われたわけではないでしょう。

ときおりあなたは、自分の中の専門的あるいは学術的な傾向について考え込むことがあって、もっとそういう面を開花させる余地がないかと思案しているように感じます。あなたの中で、この部分に葛藤が生じていたように思います。これから一八カ月ほどの間に、あなたはきっとこの問題を解決するための行動を起こすでしょう」

まったく同じ形式の言葉を、別の方向へと送り出しているにすぎないことがお分かりいただけると思う。「隣の芝生」にはほとんど内実がないけれど、本物のサイキックの洞察を感じさせる魅力的な響きがある。

私は「隣の芝生」の要素を使うのが好きで、効果的だとも思う。相談者がどんな人でも、この要素を採り入れてリーディングを組み立てるのは容易だ。その人が選ぶ可能性もあったのに、おそらく選ばなかった人生について、頭を働かせて推測すればいいだけだから。話の内容が自然と膨（ふく）らんで長くなる傾向があるので、リーディングの中身が乏しい部分の「詰めもの」にするのも簡単だ。

バーナム・ステートメント

「バーナム・ステートメント（Barnum Statement）」とは、人の性格を巧みに一般化していて、大多数の人が自分のことを正確に述べていると思うような言葉のことだ。いくつか例を挙げておく。

［例］

・「あなたには、人から好かれたい、尊敬されたいという強い欲求があります」
・「自分にはまだ使っていない能力がたくさんあるのに、まわりの人は必ずしもその能力を十分評価してくれていない、と感じる傾向があります」
・「あなたの希望や目標の中には、かなり非現実的と言えそうなものがあります」
・「あなたは独立心が強く、独自の考えを持っています。他人からこれを信じろと言われて、それをそのまま受け入れるようなことはありません」
・「あなたは自然と親切で寛大に振る舞える人ですが、その気前の良さにつけ込まれないようにすることも学んできました」

この要素の名前は、米国の伝説的な興行師でサーカスのオーナーだったP・T・バーナム（一八一〇–一八九一）に由来する。バーナムは「どんな相手でも楽しませる術を心得ていた」と言われる。「バーナム・ステートメント」は心理学の研究テーマにもなっている（付録の☆5、三六八ページ参照）。

「バーナム・ステートメント」だけを使ってリーディングを構成することも可能だ。そうするのが適切な状況もあるが、このようなリーディングは平板で見え透いていて、陳腐（ちんぷ）なものになると思う。しかも、話を考えて口に出すのも、それを聞いているのも、同じように退屈だろう。
懐疑派の文献に、コールド・リーディングは大部分が「バーナム・ステートメント」からなっている、と書かれているのを何度か見たことがある。これはかなり誤解を招きやすい表現で、賢明な懐疑派の皆さんはもっと慎重になってほしいと思う。「バーナム・ステートメント」にもそれなりの用途があるのは間違いない。ただ、詳細で深いリーディングを維持するには、あまりに大まかすぎるのだ。

▼バーナム・ステートメントと「フォーキング」

「バーナム・ステートメント」に「フォーキング（forking　分岐）」と呼ばれるテクニックを組み合わせると、さらに効果を高めることができる。「フォーキング」については後の「プレゼンテーションの方法」内で詳しく取り上げるが（二一七ページ参照）、ここでも簡単に説明しておこう。次のような単純な「バーナム・ステートメント」を考えてみる。

【例】「あなたは自分自身に対してかなり批判的になる傾向があります」

相談者が概（おおむ）ね同意しているようなら、この内容を発展させ、強化することができる。

［例］「ほかの人なら気にしないようなことでも、あなたは自分の間違いや欠点が気になって仕方がないことがよくあります。この点では、あなた自身が自分にとって最大の敵となりやすいのです。この自分自身に批判的になりやすい性格のおかげで、思い切って踏み出せなかったことが何度かありました」

一方、最初の言葉に相談者が否定的な様子を示した場合は、同じ話題を反対の方向へ広げていくことができる。

［例］「しかし、この傾向をあなたが抑制できるようになったので、最近ではめったに前面に出てきません。自分自身を受け入れられるようになり、自分の才能や技能と調和させられるようになったのです。あなたは自分を批判する傾向が強くなりすぎることがいかに危険かを知るようになりました。いまのあなたは成熟していて、自己批判的な段階は過去のものになったと誰もが認めています」

つまり二つに枝分かれする道のように、別々の方向に行けるわけだ。サイキックは「バーナム・ステートメント」を使った後、当初の考えを強化する方向と逆転させる方向の、どちらにも進んでいける。これは単純な「バーナム・ステートメント」を比較的洗練されたものに感じさせる方法の一つだ。

***

以上が相談者の「性格に関する要素」だ。次は、相談者の人生における「事実や出来事に関する要素」を見ていこう。

b 事実や出来事に関する要素

ここに取り上げる要素は主に、相談者にとって何らかの意味のある事実（名前や数字）と、相談者の過去の出来事に関係するものだ。未来の出来事に関わる要素は後で別に取り上げる（「未来の出来事に関わる要素」、一五一ページ参照）。

曖昧（あいまい）な事実

「曖昧な事実（Fuzzy Fact）」という要素は、事実を述べているように感じられる言葉だが、「たいてい受け入れられそう」で、「もっと具体的な事柄へと発展させる余地を大きく残すように」して組み立てられている。いくつか典型的な例で考えてみよう。

▼地理に関すること

タロット・カードによるリーディングで使われそうな例を挙げる。ここでは、米国内のどこかでリーディングを行なう場合を想定している。

【例】「ヨーロッパとのつながりが見えます。英国かもしれないし、もっと暖かいところ、地中海に近い場所かもしれません」

要は、世界の中で相談者と何らかのつながりがありそうな、遠くの地域を広く指定しておくわけだ。サイキックはそれが、職業、社交、恋愛のつながりだと言っていないことに注目してほしい。また、広くヨーロッパというだけで特定の場所を指摘してもいないし、そのつながりが現在のものか、過去のものか、未来のものかという点にも触れていない。しかし、どんなに曖昧でも指摘した地域と相談者の間に少しでも関係があれば、向こうが細かい部分を補ってくれるかもしれない。

【例】「ヨーロッパとのつながりが見えます。英国かもしれないし、もっと暖かいところ、地中海の方かもしれません」
――「スコットランドも含まれますか?」

「私の感じるつながりには、どこかケルト的なところがあります。でもはっきりしません。なぜかエディンバラのようでもあるし……」

――「父方にはつながりがあります。父はスコットランド出身ですが、エディンバラじゃありません」

「ひょっとしたらそこは、お父様かそのご家族が一度か二度、訪れた場所というだけかもしれません……でも、その地方とのつながりをはっきり感じるようになってきました。血がつながっているか、結婚によるつながりが示されているのです。思い当たるところがありますか？」

――「ええ、確かに」


このようにしてサイキックは、最初曖昧だった内容をもっと具体的なものへと作り直していく。この要素が有用なのはリーディングの間だけでなく、後で相談者がリーディングのことを思い出すときにも影響を及ぼす。

［例］「ヨーロッパとのつながりが見えます。英国かもしれないし、もっと暖かいところ、地中海の方かもしれません」

これは先ほどの例だが、後になって思い出す内容は次のように変化しているかもしれない。

【例】「家族とのつながりが見えます。父方の、スコットランドとのつながりです。パースシャー〔スコットランド中部〕かもしれません」

明らかに、サイキックが最初に語った言葉よりも間違って記憶された内容の方がずっと印象深い。あのサイキックは恐ろしいほど正確に情報を提示できたけれど、どうやったのか「説明」できるか、と信奉者が懐疑的な人々に迫ることはよくある。しかし、分析のために提供されるのは、もちろん具体的なことが付け加えられ、整理されたバージョンであって、当初の「曖昧な事実」だけの言葉ではない。

▼医療に関すること

これは「曖昧な事実」の特殊なバージョンで、交霊術によるリーディングに多用される。たとえば、ある人がどのようにして霊になったか（つまり死亡したか）という情報を受け取っているふりをするとき、霊媒はこんなふうに語るかもしれない。

【例】「……胸のどこかに問題があるような兆候を感じます。このあたりかもしれません

（と、心臓や肺のあたりを曖昧に身振りで示す）」

これだと当たる確率が非常に大きい。心臓や肺に直接関係する病気で亡くなる人はずいぶん多いからだ。しかも想像する以上によく当たる。たとえば、その人の死因が腎臓の問題だったとしても、それが血液の循環に影響を与え、心臓の機能に波及したと（正当に）主張できなくはない。このように解釈するなら、当初の言葉が当たっていたかどうかは少なくとも五分五分ということになる。

この「曖昧な事実」の特殊なバージョンは、別の形に変更することもできる。相談者が「胸のあたり」は当たっていないと言った場合、サイキックは次のように話を展開するかもしれない。

［例］「おや、おかしいですね。はっきりと、胸のあたりという印象を受けているのですが。実際にはどういうふうにして亡くなったのですか？」

――「突然の自動車事故でした。即死だったのです」

「ああ、なるほど。それで分かりました。息を引き取る直前に、事故のせいで心臓麻痺が起きたと、そう話してくれています」

またしてもサイキックの勝ちだ。

健康問題を中心にリーディングを行なうわけではない場合でも、多くのサイキックは健康に関する判断をある程度は組み込んでいる。たとえば、筆跡やタロット・カードによるリーディングで、サイキックがこんなことを言ったりする。

［例］「こだわるつもりはないですが、健康の話に戻りますと、ときどき背中に少し問題が起きていると感じます」

よく知られていることだが、大多数の人は人生のある時期に、背中に何らかの問題を抱えていたことがある。単に背中と言っても、背骨だけでなく近くにある筋肉も皮膚も含まれるだろうから、当てはまる範囲はかなり広い。

▼出来事に関すること

「曖昧な事実」のまた別のバージョンは出来事に関するものだ。次の例は、占星術によるリーディングの一部に使えるかもしれない。

［例］「いま進行中か、推移している職業を示す兆候がここに出ています。あなたの職業か

もしれないし、誰かあなたに影響を及ぼす人の職業に関係があるのかもしれません」

この例には「曖昧な事実」が持つ二重の特徴が見られる。当たっていそうに思える一方で、細部をもっと具体的に示す余地を多分に残しているのだ。「進行中」とか「推移している」という言葉が何を意味するかは語られていない。仕事を得るのか、失うのか、昇進、新しいオフィスへの移転、昇給、責任範囲の変化、新しい顧客の獲得など、どのような意味にも解釈可能だ。実際には起きていなくても、このいずれかの可能性があるだけで的中と受けとめられる。相談者自身か、相談者が知っている誰かのことかもしれないと述べることで、的中の可能性は非常に高くなる。

交霊術でよく使われる例に、「決まった服装」というのがある。家族の誰かが亡くなっているとき、有能な霊媒は故人についてこんなことを言うかもしれない。

[例]「何らかの決まった服装とのつながりを感じます。何か思い当たるところはありますか?」

職務上、制服を着用するか、実質的に制服と同等のもの（会社経営者の洗練されたスーツ、肉屋のエプロンなど）を身につけて働く人は多い。故人がそのカテゴリーに入っていたなら的中だ！

さらに、その人自身が決まった服装をしていなくても、ほかの人が制服を着用している職場で働く人は多い。それだけではない。ある年代で軍務に服した人も多いから、的中率は驚異的なまでに高くなる。それでもまだ当てはまらなければ、故人の学生時代（制服を着たかもしれない時期）や、若い頃に憧れていたこと（スポーツをやっていてユニフォームを着るか、チームカラーを身につけるかした可能性）に話を持っていくことも可能だ。

「曖昧な事実」について長々と書いてきたのは、これが非常によく使われる要素で、さまざまな種類のコールド・リーディングに適用されるからだ。人間関係、家族、職業、人や場所や出来事の名前、イニシャル、数、旅行、休暇、祝い事などについての言明を構成するのに利用できる。

コールド・リーディングは曖昧な言明から成り立っているという誤解が生じたのは、おそらく「曖昧な事実」が広く使われているからだろう。この要素が役に立つのは単に曖昧さによるものでないことは、繰り返し述べておく価値がある。何らかの意味で当たっている可能性が高く、さらに正確な言明へと磨き上げる余地が大きいからこそ有用な要素なのだ。

その性質上、この要素を最も適用しやすいのは対面で行なうリーディングだが、文書や郵便を使ったリーディングでも使うことは可能だ。この場合、サイキックの言明をうまく当てはめる方法を見つける作業は、すべて相談者自身が行なうことになる。サイキック産業にとって幸いなことに、進んでこの仕事を引き受けてくれる相談者は多い。

確率の高い推測

「確率の高い推測（Good Chance Guess）」とは、普通に考える以上に高確率で当たる推測を含む要素のことだ（次の項目で取り上げる「まぐれ当たりを狙う推測」は完全な当てずっぽうでしかなく、それとは異なる）。

ありふれた例を挙げよう。

[例]「あなたが住んでいる家に、2という数字がありますか？」

ちょっと聞くと当てずっぽうのようだし、ある意味ではその通りだ。しかし、的中する確率は意外なほど大きい。相談者の多くは数学を得意としておらず、確率を正確に計算したいとも思っていない。

もう少し詳しく考えてみよう。たとえば、通りの両側に五〇戸ずつ、あわせて一〇〇戸の家が並んでいるとする。住宅の番号に2が含まれる家は何軒だろうか。答えは以下にあるが、正解を見る前に頭の中で数えてみてほしい。

正解は一九で、この通りにある全戸数の五分の一に近い。したがって、サイキックはほぼ五分の一の確率で的中させられることになる（全戸数が一九より多く、一〇〇よりかなり少ない場合——実際にはかなり多くの通りがそうだろう——住宅の番号に2が含まれる確率はさらに上がる）。

これだけでもかなりのものだが、うまみはまだある。最初に言ったことを相談者が否定した場合、サイキックは少しだけ内容を広げるかもしれない。たとえばこんなふうに。

［例］「おや、それは変ですね……2という数字が確かに見えているのですから。ひょっとすると隣の家なのかもしれません」

一〇〇戸の家が並ぶ通りに話を戻すと、（既にカウントした一九戸以外に）二〇戸は住宅の番号に2が含まれる家に隣接している。つまり、あわせて三九戸の家のどれかに相談者が住んでいれば的中ということになる。それでも可能性はまだ尽きていない。「隣の家」でうまくいかなかった場合も、サイキックはいつでも容易に範囲を広げられる。

［例］「あるいは、毎朝あなたの目に入る向かい側の家かもしれません」

これで、ここまでにカウントされていない八戸がさらに追加される。あわせて四七戸だから、的中の確率は五〇パーセント近くにもなる（ここでは、通りの片側に奇数、反対側に偶数の家屋番号が並んでいる状態を想定していると思われる）。これだけの的中率があればサイキックとしての評判はかなり高まるだろう（それでも当たらない場合、サイキックは後で説明する撤退方法のどれかを使うはずだ。一七五ページの「ウィン＝ウィン・ゲーム」を参照）。

▼青い車

「確率の高い推測」として非常によく使われる例に、こういうのもある。

[例]「どういうわけか、お宅の前に青い車が見えます」

ここでは、純然たる推測と知的な思考を組み合わせて使っている。この言明が当たる確率は、最初に受ける印象よりもずっと大きい。相談者が青い車を持っていれば的中したように思える。青い車に乗っていたことが一度でもあれば、過去に関して的中したことになる。また、ほんの少し言葉を加えるだけで、相談者の友人か近所の人が青い車を持っている場合にも適用できる。最近、相談者のところへ来た何かの業者が青い車かバンに乗っていたか、青の多いロゴをつけていただけでも、的中に数えることができる。的中か、ほぼ的中といえる率は相当に高くなる。もう一つ、うまいところは色の選択だ。車の色は千差万別だが、青というのは私の住む地域でたぶん最も一般的な色だろう。しかも、ひとくちに「青」と言っても、ロイヤル・ブルーと呼ばれる暗く深い青から明るい青緑色まで明るさや色相に大きな幅があって、その中間にアクアマリンやターコイズなどさまざまな色が含まれる。

世界のほかの場所では白か白に近い色、グレーやシルバーの車が多いという話も聞いている。そういう地域のサイキックは、おそらく青の代わりに無彩色やシルバーの割合を考慮して話す傾向があると思っていい。

ここに挙げた二つの例以外にも、同じように機能する言葉はたくさんある。形式としては、正しいか間違っているか、それだけの推測を述べた言葉だが、実際には当たっている可能性がかなり高い。また、たいていのケースでは相談者に、微妙な部分を検討する時間がほとんど、あるいはまったくないことも指摘しておくべきだろう。

まぐれ当たりを狙(ねら)う推測

「まぐれ当たりを狙う推測（Lucky Guess）」はその名の通りの要素で、「確率の高い推測」のような繊細さのない純然たる推測だ。サイキックは、単に名前、イニシャル、日付、地名などを提示し、相談者がそれを受け入れるかどうかを見る。

もし当たれば奇跡的なことに見え、間違いなく相談者に強い印象を与えられる。しかも、的中した理由の説明がつかないように見えるため、後々懐疑的な人々に打撃を与えるのにも役立つ。当たらなかったときは、さらりと別の話題に移っていくだけだ（後述の「ウィン＝ウィン・ゲーム」を参照）。

繊細な仕組みは何もないけれど、コールド・リーディングでは非常に有用なので、ここで取り上げておく必要がある。また、強調しておきたいのは、サイキックの言葉を解釈する際に、多くの相談者は許容範囲を非常に大きく取るということだ。たとえば、次のように。

［例］「ジェーンという名前は、あなたにとって何か意味がありますね。あなたがかなり前から知っている、金髪の人が見えます」

このサイキックは当て推量でしゃべっているにすぎない。ただ、その名前が相談者とどう関係しているか、具体的なことは何も言っていないので、どんな関係でもたいていは当てはまる。「ジェーン」は親戚でもいいし、仕事仲間でも、友人でも構わない。存命中でも故人でもいいし、よく知っている間柄でも、遠い関係でもいい。現在、関係のある人でも、過去に関わった人でもいい。この当て推量が的中したと解釈される可能性は無数にある。

相談者が、ジェーンに音の近い、たとえばジーン、ジャネット、ジョアンヌといった名前の誰かを知っていたら、そのことをやんわり指摘し、あと少しのところでしたねと評価してくれる可能性は高い。ファーストネームでなく、姓（たとえば「ジョーンズ」）やニックネームが近い音であってもいい。性別も異なるかもしれない（国によっては「Juan（ジュアン、ホアン、ファンなど）」はありふれた男子名だ）。サイキックが解釈の幅をどれほど大きく残しているかを考えれば、「まぐれ当たりを狙う推測」でも最終的に的中、あるいはほぼ的中したことにできる可能性が、少なくともかなりあることは明らかだ。

▼三つの部分からなる推測

二つか三つの部分からなる推測が提示されたとき、相談者が注意を払うのはたいてい、当たっている部分だけだということも指摘しておく価値がある。先ほどの例で示された推測は、「ジェーン」、「かなり前から知っている」、「金髪」という三つの部分からなっている。もし相談者が最近、金髪のジェーンという名前の人に会っていたなら、サイキックの驚くべき能力が示されたと受けとめられるだろう。当たっていない部分（「かなり前から知っている」）は見逃されてしまうのだ。

三つの部分からなる「まぐれ当たりを狙う推測」の例をもう一つ挙げてみよう。

［例］「どういうわけか、八月の終わりに意味があるように感じます。二十六日か、そのあたりの日付です。それと、あなたに関係のある、眼鏡（めがね）をかけた男性です」

眼鏡をかけていて誕生日が八月二十七日の男性が相談者の結婚相手なら、そのサイキックは科学ではとうてい説明のつかない驚くべき能力の持ち主だと思われるだろう。しかし、この推測の少なくとも一部が当てはまる範囲は相当に大きい。

八月二十日以降の意味のある日付なら問題ない。その日付は誕生日かもしれないし、記念日、休日、何かの行事かもしれない。毎年めぐってくる日かもしれないし、去年、あるいは今年だけのことかもしれない。個人的に意味のあることでも、交友関係、仕事に関わりのあることでもいい。

その男性は、夫、パートナー、兄弟、親戚、友人、同僚、仕事を依頼した相手（かかりつけの医師、会計士、自動車修理工など）かもしれない。何年も前から知っている人でも、一度しか会ったことのない人でもいい。いま生きている人かもしれないし、故人かもしれない。近くにいても遠くに住む人でもいいし、よく知っている人でも、ただの知り合いでもいい。可能性を広げれば広げるほど、「まぐれ当たりを狙う推測」が何らかの意味で十分当たっているように見える確率は高くなる。

当然ながら、「まぐれ当たりを狙う推測」を多く盛り込めば盛り込むほど、どこかで的中する確率は高くなる。中には一回のリーディングで、何十もの名前、イニシャル、日付、地名に言及するサイキックもいる。はずれたものは忘れられるが、たまたま当たったものは記憶に残る。

▼常に推測を怠らないコールド・リーダー

ついでに書いておくと、多くのコールド・リーダーは、リーディングをしていないときでも「まぐれ当たりを狙う推測」を始終やっている。間違えても失うものはないし、たまたま当たったりすれば、構えることもなく的中させるサイキックだと多少の評判になるだろう。たとえば、初めて会った誰かと話すとき、相手の星座、親戚の名前、趣味を気軽に当ててみようとする。間違えても別に罪にはならないし、まだきちんとしたラポール（信頼関係）を築けていなかったからだと言い訳できる。一方、推測が当たっていれば、何気なくしゃべって的中したことが語り草になる。

あるとき私は、テレビの調査スタッフと電話で話していて、相手のことを「とても有能で、射手座の典型」だと冗談まじりで評したことがある。たまたまその女性の星座はまさに射手座だったので、大いに感銘を与えることになった。仕事で関わっていた期間中ずっと、この女性は私の驚くべき能力を示すエピソードを繰り返し話題にした。私はセールスマンたちにも、得意先になりそうな会社を訪問したとき、なかなか取り次いでくれない「冷たい」受付係と仲良くなるのに同様のアプローチができると教えている。

統計上の事実

「統計上の事実（Stat Fact）」は統計と人口データに基づく言明だ。こうしたデータは、図書館、専門的な出版物、商用データベース、インターネットからいくらでも入手できる。こうした情報はサイキックにとって非常に役に立つ。たとえば、大多数の女性が保健サービスか繊維産業でパートの仕事をしていることが、統計上明らかになっている地域でリーディングを行なう場合を想像してみてほしい。相談者がパートで働いていると考える理由があるなら、話題にする価値がありそうな分野はどれとどれかが分かる。コールド・リーディングの多くの面と同様、この情報を使うにも、良い使い方と良くない使い方がある。次に掲げるのは良くない例だ。

〔良くない例〕「あなたの仕事は保健に関係があると出ています。あるいは、繊維関係かもしれません」

これは見え透いているだけでなく、陳腐（ちんぷ）でもある。これに対し、占星術に基づいてリーディングを提供するサイキックが、次のように語るところを想像してみてほしい。

〔例〕「職業の分野を見てみましょう。白羊宮の影響は、人々を相手にする仕事で、彼らに手を差し伸べる大きな能力を持っていることを示します。実のところ、第五室（ハウス）〔ホロスコープを十二に分けた部屋の一つ〕のコンジャンクション〔合（ごう）。ホロスコープで天体が重なっていること〕は、何らかのケアやカウンセリングを必要とする人たちの間で働くと、大きな成功を収める可能性を示唆（しさ）しています。あなたにとって

はそれが正しい道かもしれないと、星の配置が告げています」

ここでサイキックは間をとって、相談者が受け入れているかどうかを観察する。受け入れていないようなら、次のように方針転換する。

[例]「……しかしそれは、現在のあなたを取り巻く実際の状況というより、潜在的な能力に大きく関わっています。現時点での土星の影響と、山羊座のあなたの性格との組み合わせが示唆しているのは、手を使い、熟練を要する仕事にエネルギーを注いできた可能性があるということです。このことに何か心当たりはありますか？」

このようにしてサイキックは、情報の源が地域の統計データでなく、星の配置にあるのだと聞こえるような仕方で、可能性の高い仕事に言及できるわけだ。

この要素がうまく機能するかどうかは、明らかに情報の信頼度と、それをどれだけ上手に提示できるかにかかっている。経験豊富なコールド・リーダーは役に立ちそうな情報を常に集めようとしている。たとえば霊媒や交霊術師なら、統計的にどういう死因が最も一般的かを示す情報をできる限り集めようとする。

利用できる統計データが不足することはまずない。教育の成果、職業、給与水準、一般的な結婚年齢、保健衛生面の主要な問題などの報告書がいくらでもある。

あまりに広く知られた統計を利用すると、相手を感心させられないだけでなく、むしろ冷淡な反応を引き出してしまう。しかし、それほど知られていない統計データを利用するのは、細かな違いに注意を向けるのと同じように、非常に有効だ。たとえば、英国で最も人気のあるスポーツまたは余暇活動は何か？　多くの英国人はサッカーと答えるだろう。興味を持っている人の数について言えばその通りだが、活動に参加している人の数で言うとトップは釣りだ。また、英国で人気のある余暇活動のランキングでジグソーパズルを解くことが五番目あたりにきていると想像できる英国人は少ないはずだ。

統計のトリビア

「統計のトリビア（Trivia Stat）」は、個人や国民生活の細かい事実について述べた言明からなる要素だ。「統計上の事実」が公式の統計から引き出したものだったのに対し、「統計のトリビア」は官僚が集めたデータではなく、人々の生活上の経験に基づいている。コールド・リーダーは長い年月をかけて自分だけのお気に入りのトリビアを収集している。ここでは、私が何年もかけて集めたトリビアをいくつか紹介しよう。それぞれ検討してみてほしい。

▼多くの家庭で見つかるもの

・どこかで撮ったまま、アルバムに整理していない古い写真の入った箱（かつてはどこにでもあったが、デジタル写真が普及するとともに少なくなった。現代版で言えば、きちんと整理してカタログを作らないまま、さまざまなディスクやドライブその他のメディアに入れっぱなしになっている古い写真、ということになる）
・何年も前に有効期限が切れた古い薬や救急用品
・子供の頃の思い出と結びついている玩具や本
・既に他界した家族が持っていた宝飾品や戦時中のメダル
・トランプ（トランプ遊びなどしないと言っていてもたいていの家にあるが、一枚か二枚欠けていることが多い）
・動かなくなった電子機器や小物で、修理もしないが捨てられずにいるもの
・冷蔵庫や電話の近くに残っているメモで、すっかり古くなって用済みのもの
・前は熱心だったのに興味が失（う）せてしまった趣味に関するもの
・今年のものではない古いカレンダー
・かつて定期購読していたが、既に解約した雑誌の古い号
・つかえて動かない引き出し、または扉や蝶番（ちょうつがい）が壊れたキャビネット
・むきだしのまま置いてある、休暇中に買った飾り物

・壊れた時計

▼多くの人に当てはまること

・多くの男性は子供の頃に楽器を習おうとしたが、その後やめてしまっている。
・多くの男性は、何年も前からひげをきれいに剃っていても、一時期ひげを伸ばしていたことがある。
・三十代以上の多くの男性は、体型が変わって着られなくなった古いスーツを少なくとも一着、衣装ダンスの中に持っている。
・多くの女性は、買ってはみたが一度も身につけなかった衣服を持っているか、持っていたことがある。
・多くの女性は、センチメンタルなタイプに見えない人でも、財布かそれに近いものの中に愛する人の写真を入れている。
・多くの女性は、子供の頃に髪を長く伸ばしていたが、大きくなってから髪の短いスタイルに変えている。
・多くの女性は、片方をなくしたイヤリングを少なくとも一つ持っている。
・多くの人は左の膝(ひざ)に傷があるか、傷を作ったことがある。
・多くの人は子供の頃に、水に関係する何らかの事故に遭ったことがある。

文化、宗教、内容によって有用な「統計のトリビア」が変わることは明らかだ。この要素を使いたいサイキックは、自分の宗教と顧客にふさわしい事例を集める必要がある。同じことは、ほかの要素の多くにも当てはまる。

▼テーマとバリエーション

「統計のトリビア」は、提示の仕方を少し変えるだけで、ほぼどんな種類のサイキック・リーディングにでも織り込める。たとえば、単に次のように述べるだけでは効果がない。

【良くない例】「あなたの家には子供の頃の思い出深い玩具や本があります」

たとえ当たっていたとしても、こんな提示の仕方ではセンスが感じられない。次の例の方がずっといい。

【例】「ああ、『ソード（剣）の3』と『世界』が同じ列にありますね。これはとても興味深い。一般に『世界』のカードは、自分の家や部屋など、個人的な領域に関係があります。過去に生きているわけではありませんが、過去に背を向ける人でもないことを、この組み合わせは示唆しています。昔を懐かしむ気持ちになることがあって、子供の頃からの思い出の品や土産物を家に置いているかもしれません。大きくなるまでに持っていた古い本や玩具などです。あなたにとってそれは、ルーツにつながる一つの方法なのかもしれません。このことに何か心当たりはありますか？」

手相術の場合なら、次のようになるだろう。

[例]「薬指の付け根にあるこの強い線は、過去への親和性と、経験の継承を大事にしていることを示しています。それが感情線によって断ち切られているのは、あなたが過去に生きるという間違いを犯さないこと、それにもかかわらず、過去を価値あるものと考えていることを示唆します。たとえば、あなたは成長期の思い出の品を残しておくタイプの人なのかもしれません。あなたにとってそれは、地に足をつけておくための、自分のルーツと中心的な価値を認識するための、一つの方法なのです。それは安定し、成熟した性質を表しています。強い樹木は深く根を張ります。あなたは自分のルーツと、少なくとも感情面において、つながりを維持しているのです」

文化のトレンド

「文化のトレンド（Cultural Trend）」という要素は、先の二つ（「統計上の事実」および「統計のトリビア」）と密接に関係している。これは単に社会や文化のトレンドを観察し、その先行きを推測するというものだ。現在のトレンドの深い知識があれば、相談者のいまの生活（性格、態度、余暇の過ごし方、関心事）について正確に述べるのに役立つ。また、こうしたトレンドがどのように発達するかを知識に基づいて推測できれば、（後で取り上げるすべての「予測」の要素に加えて）相談者の近い将来への予測を立てるのに有効だ。

本書の初版を出版した後、多くのお便りをいただいた。特に、ロサンゼルスでの講演の後で会った男性は、鋭い洞察力とユーモアのセンスの持ち主だった。いろいろな理由からこの男性は、「ディープ・スロート」に引っかけた「シャロー・ラリンクス（Shallow Larynx 浅い咽頭）」という仮名以外は出さないでほしいと言っている（一九七〇年代の米国で起きたウォーターゲート事件では、「ディープ・スロート」と名乗る人物がワシントン・ポストの記者にニクソン大統領の政治スキャンダルの情報を提供した）。シャロー・ラリンクス氏が「文化のトレンド」について書き送ってくれた文章を、ここでお目にかけよう。最初は二〇〇二年頃に書かれたものなので、内容に少し古い部分もある。

▼文化のトレンドに関する「シャロー・ラリンクス」氏のレポート

私の気づいたいくつかのトレンドについてお話ししましょう。富裕層の男性は、ひたすら容姿を向上させるという、かつては女性だけのものだった行動に走るようになっています。男性用のスキンケア製品は三五〇〇万ドル規模の産業となって、成長を続けています。乳液、目の下に塗るクリーム、エクスフォリアント（角質ケア用品）などが発売されています（どれも男性的な使い方ではありますが）。知的職業に従事する男性がマニキュアを塗るのは珍しくありません。私はカリフォルニアにある保養地の豪華な五つ星ホテルを知っています。そこでは年に四、五回、「メンズ・ウィーク」をやっています。ここに一週間滞在するとたいてい五〇〇〇ドル以上かかりますが、このメンズ・ウィークは毎回、早々と予約完売になります。

美容整形を受ける男性も増えています。そうしたサービスの受けられるしゃれたホテルをビバリーヒルズで経営している女性と話したことがあります。このホテルは一九八八年に開業しました。経営者の女性によると、この数年で男性の予約が約五パーセントから二五パーセント近くにまで増えたそうです。

もちろん、男性の求める整形内容は女性と同じです。私の記憶が確かなら、男性が求める整形のトップはフェイスリフト（しわ取り）で、脂肪吸引がすぐ後に続きます。美容整形を受けにくる男性は四十歳前後が多く、自分の見た目の市場価値を維持することが理由です。コールド・リーダーなら、相談者がマニキュアをしたやけに健康そうな男性で実際の年齢より若く見える場合、これは知っておく価値のある知識です。

住宅はどんどん大型化しています。高級住宅の平均面積が二倍になったと、どこかで読みました。そこで思いついたのが、不動産データは情報の宝庫だということです。郵便の地域コードを入力するとコミュニティの詳しい情報が得られるウェブサイトがあります。

また、「高級住宅地の居住者リスト」を提供するサイトもあります。ここは高級住宅を専門に扱うブローカーの会員専用で、国際的に利用されています。サイト上でブローカーを検索でき、ブローカーの多くはウェブサイトを開設していますから、これは有用かもしれません。

家を建てる話に戻ると、土地を買って既存のまだ問題なく使える建物を取り壊し、新しい家を建てる「テアダウン（teardown）」と呼ばれるやり方が普通になってきています。

インターネットは人々の暮らしを大きく変えました。いまでは自宅にいて仕事をするのがますます容易になっています。そのため、リゾート地にあったかつての別荘が、そのまま住宅になっているのです。アスペン（コロラド州中部のスキーリゾート）やパームビーチ（フロリダ州南東海岸）のようなリゾートのコミュニティが、年間を通じて生活する場所になっています。それで、高級住宅のトレンドはというと、複数のバスルーム、ホームオフィス、家庭内ジム、ホームシアター（あるいは「エンターテインメント・センター」）などを備えているのが、当たり前のようになっています。

キッチンも変わりました。かつてのキッチンは家の奥にあって、食事を用意するだけの場所でした。それがいまでは積極的に「見せるキッチン」として住宅の前面に出て、客をもてなすのに適した場所になっています。ピザを焼くための六〇〇〇ドルもするオーブンやビールサーバーなど、何でも揃っています。言うなれば「SUV効果」といったところでしょう。まったく必要としていないくせに、どうしてもほしいという気になり、それを所有するのが「おしゃれ」ということになっているのです。

「イアン・ローランドによる注――「SUV」とはスポーツ・ユーティリティ・ヴィークルの略。大きな鉄の塊（かたまり）のような車で、車高が高いため乗り降りするのに梯子（はしご）が必要になりそうほどだ。そのデザインと豊富な装備は、大型の獣の狩りをしたりナイル川の源流を見つけに行ったりするのなら最適だろう。この一〇年ほど大人気だったSUVだが、オーナーの用途はせいぜい、美容サロンへ行くか子供の学校の送り迎えに使う程度だったりする。」

料理はかつて手間のかかる仕事でしたが、いまやステータス・シンボルになっています。一二五ドルもするバルサミコ酢、スコットランドから輸入した猟鳥、広々とした豪華なキッチンなどが、いかにあなたが裕福かを見せつける手段になっているのです。高級キッチン用品の市場は最近とみに活気づいています。

SUVについて言えば、スポーツカーよりもずっと人気があります。SUVを購入する人たちは特別な装備をつけるのが普通です。ステータス・シンボルとしてのスポーツカーは健在ですが、意欲満々の事業家でも、レンタカーを借りるときはSUVを選ぶという人がたくさんいます。

十代の少女たちは、大人になる前に万引きを経験するのが当たり前のようになっています。互いに競い合って楽しんでいる子もいます。フラストレーションをため込んでいる十代の男の子たちは暴力に走りやすい傾向がありますが、女の子たちは物を盗むのです。たいていは、小さくて高価なものを。地元のショッピングモールに十二歳から十八歳の層をターゲットにしている店がありますが、壁には白い天使の衣裳を着た少女を写した大きなポスターが貼ってあります。少女は肩をすくめていて、白いガウンには汚い緑色をした大きな染みが付いています。そして、ポスターにはこう書かれています。『染み一つない評判を汚さないで。万引きは通報します』」

（「シャロー・ラリンクス」氏の報告はここまで）

これほど細かな観察レポートを送ってくれたシャロー・ラリンクス氏に心から感謝している。私が付け加えるべきことはほとんどない。この要素を商売に利用したいサイキックは、何とかしてこういった知識をかき集め、トレンドそのものだけでなく、その起源や原因、意味についても探ろうとする。「文化のトレンド」の最新情報については私のウェブサイトを参照してほしい（www.coldreadingsuccess.com の「Vault」内、「Cultural Trends」）。

幼時の記憶

「幼時の記憶（Childhood Memory）」という要素は、その名前が示す通り、誰もが幼少期によく経験することに基づいて、その人の性格について述べる言葉からなっている。ポイントは、リーディングの文脈で自明とまでは言い切れないぎりぎりの表現を作り出すことだ。私自身が気に入っているものの一つは「諦（あきら）めてしまった興味の対象」だ。

［例］「幼い頃のあなたには、特に強く興味を感じている対象、あるいは分野があって、それに多くの時間を費やしていたという印象を受けます。伸びる可能性があると周囲からかなり有望視されていたようです。創造的あるいは芸術的な方面で、ご両親はあなたがすごいことを始めるかもしれないと感じていたのかもしれません。でも、けっきょくそうはならなかったようだと私は感じています」

この種の言葉にほとんどの相談者が同意する。たいていの子供は最も興味があることを熱心に追求するという単純な事実があるからだ。しかし、たいていは情熱を注いだ分野で成果を上げることができず、やがて興味が薄れ、諦めてしまう。

興味の対象は一般に、創造的／芸術的なこと（文章を書くこと、絵画、音楽、ダンス）か、スポーツ／運動のどちらかだ。私はこの要素を使うとき、二つのグループのどちらに当てはまりそうかを推測する。たいていの場合、これはそう難しくない。幼少期にうまくなじんで活動した人の傾向は、（すべてとは言わないが）その後も変わっていないからだ。もしそれに当てはまらないようなら、もう一つのグループに切り替えればいい。

その推測が当たっているようなら、可能性の高い分野の中から具体的に絞り込んでいく。創造的な分野なら、いちばんよくあるのは音楽、次いで美術、文章表現、ダンスとなる。スポーツ方面なら、最も可能性が高いのはチームでする競技、次いで水泳、ランニング、武術となる。

▼言葉とその意義

「幼時の記憶」が単純すぎて効果的でない場合のために、コールド・リーディングの心理学におけるもう一つの側面について述べておきたい。リーディングがうまくいっているとき、大部分の言葉を語るのはサイキックだが、意義を提供するのは相談者だ。相談者は自分自身の具体的な体験を、サイキックの提供する一般的な言葉やテーマに合わせる傾向がある。

これはコールド・リーディングにおける重要な心理学的要因で、「幼時の記憶」とは特に関係が深い。「才能または能力」に触れたサイキックの単純な言葉が、相談者の心に詳細で鮮やかな記憶を呼び覚ますことがある。ピアノを一生懸命練習したこと、初めて絵を描いたこと、運動競技で賞を獲ったこと……等々。その結果、単純な内容の「幼時の記憶」でも、そのままの形でなく、遠く過ぎ去った幼少期の具体的で実感を伴った記憶を「読み取った」として、サイキックの評価が高まることになる。

▼両親を心配させたこと

私が使って大きな成功を収めたもう一つの「幼時の記憶」は、「両親を心配させたこと」だ。たとえば、次のような例がある。

[例]「あなたが幼い頃の様子に戻りましょう。どの子もちょっとした病気にかかる時期で

すが、もっと重大な何かを感じます。病気だったかもしれないし、ケガをしたか、事故に遭ったのかもしれません。少なくとも当時は、かなり重大だったようです。そのとき、ご両親や周囲の人たちが必要以上に心配したように感じます。それは大丈夫と分かった後だからこそ言えることですけれど」

この例では、分かりきったこと（どの子も病気にかかったことがある）から、自明とまでは言い切れないぎりぎりのこと（たいていの子供は少なくとも一度、重い病気にかかるか、事故でケガをしたことがある）へと一歩だけ踏み出している。サイキックの演技がうまく、あたかもその場面が「見えて」いて、当時の感情に反応しているかのように語れば、超常的な雰囲気を高めることができる。よく似た種類のものとして「水にまつわる事故」がある。この方面に関わりのある何らかの幼時の体験を、たいていの人は見つけられるはずだ。

▼うまくありついた仕事

私が使ったことのある「幼時の記憶」の要素で、正確には幼年期というより仕事を始める初期段階に関わるものもある。私はこれを「うまくありついた仕事（lucky job）」と呼んでいる。

［例］「いま見えているのは、あなたが初めて職に就いた頃、初めて本当の仕事をするよう

になった頃のことです。何か幸運な出来事があったように感じます。たぶん物事があなたにとって良い方向に調（ととの）い、めったにないほど強く偶然が働いて、仕事を手に入れたのです。あなたがこの仕事にふさわしくなかったとは言いませんが、偶然や幸運の影響がかなりあったのです」

この例も、「幼時の記憶」と同じ形になっている。つまり、成長段階でたいていの人が経験することを、自明とまでは言い切れない表現で説明するというものだ。雇用主はその職種の経験者を求めるのが普通だが、若者は誰かが仕事をくれるまで経験を積むことができない。このジレンマを破ることができたとすれば、幸運に恵まれたか、びっくりするようなめぐり合わせがあったからだ。これは特に驚くような話ではないが、特にサイキック・リーディングの文脈においては「自明とまでは言い切れないぎりぎりのこと」にあたる。

民衆の知恵

サイキックは手垢（てあか）のついた決まり文句も毛嫌いしない。多くのリーディングには、誰もが経験することへの訴求と、「民衆の知恵（Folk Wisdom）」として通用する限りなく楽天的な考えを組み合わせたものがちりばめられている。いくつか例を挙げてみよう。

［例］

・「誰でもみな、ときどき友人と議論する必要があります。『三人寄れば文殊の知恵』です」
・「大事なのは、思い煩わないことです。本当のところ、こういうことってたいてい、最後には落ち着くところへ落ち着くものです。後から振り返って考えると、あんなに心配したのは何だったのだろうって思いますよ」
・「長いトンネルも、必ずいつかは抜けて光が見えます。古い格言にあるように、夜明け前の空がいちばん暗いのです」
・「この課題を乗り越えるのは困難に思えるかもしれません。でも、一つのことに専念すれば、驚くようなことができてしまうじゃないですか」

特に有効な要素ではないが、リーディングの間を埋めたり、別の話題に移る前に話をまとめたりするのに役立つことがある。この要素は、「プレゼンテーションの方法」で取り上げる「親しみやすさを維持する」テクニック（二二〇ページ参照）と結びついている。

季節に関わること

「季節に関わること（Seasonal Touch）」は、時候や季節に関係のある事柄をリーディングに織り込むというごく単純な要素だ。もちろん、リーディングを提供する国、文化、社会によって内容は変わってくるが、リーディングを多彩なものにするのに非常に役に立つ。たとえば私の住む英国では、春といえば「大掃除」、あるいは家のまわりでDIY作業を新しく始める時期という連想が働く。一月と七月には大きなセールを実施する店が多く、掘り出し物を求めて女性客が押し寄せる。

財務関係の年間スケジュールも季節の話題に関して役に立つことがある。米国在住の知人によると、一月から四月までの時期は所得税のことが人々の頭から離れないという。世界中どこの国でも同様であることは間違いない。

この要素を利用するには、われわれがいつもどれほど多様な「カレンダー」に従って暮らしているかを考えるだけでいい。先に挙げた三つは、家事のカレンダー、小売店のカレンダー、財務のカレンダーと呼べるだろう。カレンダーはほかにもたくさんある。たとえば、スポーツのカレンダー、娯楽産業のカレンダー（新しいショーの始まる時期、古いショーを繰り返すだけの時期）、などだ。どれも季節に関わる話題のいい基盤になる。

▼イメージを豊かにする

季節に関わる要素を改善する方法の一つは適切なイメージを加えることだ。たとえば次のように、提示の仕方があまり良くない例を考えよう。

［良くない例］「あなたは家のまわりで、大がかりな掃除をしていたように感じています」

これは無味乾燥で素っ気なく聞こえるが、次のように手を加えると良くなる。

［例］「ここで家庭生活の面に焦点を合わせてみましょう。かなり動き回っている印象があります。ずいぶん苦労していて、緊張を感じます。肉体的な面と感情面の両方です。肉体的な緊張は、背中の一、二カ所にある痛みです。感情面の緊張は、きちんと片付けて、環境にある種の秩序を持たせようとするところからきています。非常に力強いオーラを感じるのですが、最近は少し手がつけられない気にもなっていて、かなり疲れていますね」

本質的にはどちらも同じようなことを述べているが、後の例の方がサイキックの洞察力を示しているように聞こえる。

▼基本データからの延長

基本的な季節的データをもとにしていても、陳腐（ちんぷ）で見え透いた言葉だと思わせないようにすることはできる。データをその先へと延長（外挿）してやれば、知恵と洞察に満ちた言明に聞こえる。

七月にセールに行く女性が多ければ、一ヵ月ほど経つとクレジットカードの請求に対処しなければならず、その後は倹約を心がけようという気持ちになる女性が増えるかもしれない。したがって、九月にリーディングをする場合、相談者がこのパターンに当てはまるように見えたら、ある程度自信を持って家計の問題を取り上げることができる。

▼さまざまな視点

「季節に関わること」からさらに有効な成分を絞(しぼ)り出すもう一つの方法は、別の視点から考えてみることだ。「七月はバーゲンセールに出かける女性が多い」という例で言えば、次のように四つの異なる視点から考えることができる。

①セールが楽しくて仕方がなく、待ち構えている人
②仕事が増えることとや、品物の奪い合いを恐れている店員
③クレジットカードの残高がごっそり減って唖然とする夫
④セールに興味がなく、いつも利用する店が混乱するのを嫌う人

それぞれの立場によって、四つの視点からの見え方は大きく異なる。そのため、相談者がどれに当てはまるか、あるいはどれでもないかに応じて、ちょっとした情報からでもずいぶんいろいろなリーディングの材料を得ることができる。

女性よりも男性に当てはまりそうな「季節に関わること」を想像するのもいい。スポーツの

イベントは間違いなくリーディング素材の源になる。イングランドでは、さまざまなスポーツの始まる時期や盛り上がる時期を、まるでそのために生きているかのように心待ちにしている男性が多い。サッカーのさまざまな統計データがすっかり頭に入っていて、妻の誕生日や（ひどい場合は）名前を思い出すより簡単に言えるという人もいる。

相手が熱烈なファンなら、サイキックはたいていすぐ見抜いてしまう。たとえば、英国の熱狂的なサッカーファンは簡単に見分けられる。盛り上がった眉、拳を地面について移動する、いまだに火の使い方を知らないなど、一目ですぐそれと分かるのだ〔原始人なみということか〕。実際、ヨーロッパ各地のサッカー場や付近のコミュニティセンターの監視カメラや、そこで起きている騒動のニュースを見れば、そういう連中がたくさんいると分かる。

対照的な存在

これは非常に興味深い要素で、初めてこれを知ったとき、私はすっかり魅了されてしまった。サイキックは、相談者にそりの合わない相手、緊張を感じる嫌な相手がいることを伝え、続いてその「やっかいな」、「助けにならない」人物を詳しく描写する。これができるとしたらかなりすごい。

どうしてそんなことができるのか？　実はその人物を、相談者自身と正反対の性格を持つ人として描き出すだけのことだ。たとえば、相談者が控えめで堅苦しい人のようだったら、気さくで形式にとらわれず、こだわりのなさそうな人物に設定する。相談者が遠慮を知らない横柄な人柄だったら、臆病で内気な人物として描く。相談者が素っ気なくユーモアに欠ける人だったら、冗談好きで愉快な人物を立てる。このようにしてサイキックは、相談者と対立するおぼろげな対象者について、かなり印象的な「サイキック・プロファイル」を提示できる。

相談者はたいていの場合、サイキックが提示した人物描写にある程度当てはまり自分がいくらか嫌っている誰かを、その対象者として見出すことになる。もちろんこの要素は確実にうまくいくわけではなく、私も使った経験はわずかしかない。それでもコールド・リーディングの資料で何度も言及されているから、試してみる価値はあるだろう。

プッシュ・ステートメント

「プッシュ・ステートメント（Push Statement）」は、わざと最後まで取っておいた。その理由は、これが最も説明しにくい要素だからだが、最も強力な要素の一つでもある。

これまで取り上げた要素は相談者に受け入れてもらうためのものだった。つまり、サイキックの言ったことが正確か、少なくともありそうなことだと同意してもらうための要素だ。「プッシュ・ステートメント」はまったく違う。これは相談者によって最初は否定されるよう意図的に作ってある。しかし、サイキックが十分な自信を持って押していけば、ほぼ必ずうまく収まるようにでき、同時に、一致する範囲が微妙に拡張される。

「プッシュ・ステートメント」は組み立てるのが難しく、何度もリーディングを経験するうち徐々にできてくるのが普通だ。私が自信を持って使えるものは一つか二つしかなく、それも乱用するわけではない。比較的よく使ったのは「赤い床（red floor）」というもので、こんなふうになる。

〔例〕「三カ月ほど前、あなたがある部屋に立っているのが見えます。細部を説明すると、ちょっと妙な具合なのですが、床が赤いか、赤っぽく見えるのです。あなたの家や職場ではなく、どこかほかの場所だと思います。この赤い色があなたの周囲にあって、あなたはここへ何かの会合で来ているようです。ほかに誰か関係のある人やグループがいるかどうかは分かりません。しかし、あなたがそこに来ることを誰かが望み、あなたはほかの人たちを待っていなければならない状況だと感じられます」

相談者はほぼ間違いなく否定的な反応を示すが、これはわざとそう仕組んであるからだ。それから私はこのリーディング内容を強く主張し、いずれ意味がはっきりすると力説する。この自信たっぷりな態度が重要で、これは描写に適合することを見つける責任をそれとなく相談者に負わせる効果がある。

最初の言明をプッシュし続けながら、私は目立たないようにオプションを増やしていく。色は錆びたような茶色か、秋の紅葉のような色だったのかもしれない。実際は床に意味があるのでなく、全体的な環境が赤みを帯びていたのかもしれない。会合は社交のためかもしれないし、仕事の関係か、家族が集まるのか、あるいは恋愛がらみの可能性もある。

たいていの相談者は、遅かれ早かれうまく適合する何かを思い出す。「プッシュ・ステートメント」の眼目は、相談者が忘れてしまっている何かにサイキックが気づいているように見せる、というところにある。うまくいった場合、これは強烈な印象を与える。相談者が知っていることをサイキックが探り当てるのと、相談者がほとんど忘れていたことをサイキックが「見通している」ように見えるのとは、まったく違うのだ。

効果的な「プッシュ・ステートメント」を考案するのは容易でない。細部は当て推量を凌駕（りょうが）するだけの特異性を備えていて、それでいて当たる確率が低すぎない程度に一般的なものでなければならない。また、徐々に意味の範囲を広げて再解釈することにより、細部を拡張できることも必要になる。サイキックは相談者が思い出すのを「助ける」ことによって的中率を高めることができるからだ。

▼靴とパーティ

別の例を挙げると、三十五歳以下の女性が相談者の場合に、私は「靴とパーティ」と呼んでいるものを何度か使ったことがある。これは次のようなものだ。

〔例〕「パーティか、お祝いの席らしい印象を受けます。クリスマスのシーズンあたりだと思いますが、クリスマス・パーティとは限りません。車か輸送機関に問題が起きています。あなたが靴の片方を持っているのが見えます。靴の片方に問題があるのでしょうか。ヒールが取れたか、もっと普通でないことかもしれません。たとえば、ストラップが壊れたか、何かに引っかかったのかも。あなたは少し不機嫌そうに、周囲の人に告げています。思い当たるところはありますか？」

当然ながら、この要素を使っても何も出てこないことがある。繰り返し否定される場合は逃げ道が必要になる。簡単な方法は、これまでに起きていないのなら、近いうちに起きるだろうと告げることだ。後で意味が分かるかもしれないのでときどき思い返してほしいと相談者に頼むのもいい。失敗したときのほかの逃げ道については、「ウィン＝ウィン・ゲーム」のところ（一七五ページ参照）で取り上げる。

▼成功したプッシュ・ステートメントの例

あるとき私は、テレビの制作会議でコールド・リーディングの実演をした。制作助手の女性を対象に行なったリーディングの中で私は「靴とパーティ」を使い、「ジェームズ」という名前を付け加えた。制作助手には思い当たることがないようだった。

ロンドンの「スーパー・サイキック・リーディングズ」講座で教える著者

リーディングを終えて一〇分後、私が別の人と話していると、先ほどの制作助手が急に興奮し始めた。その女性は本当に信じられないという様子で、十代の頃にパーティで友達と踊っているときに靴が壊れたことがあり、踊っていた相手の名は「ジェームズ」だった、と叫んだ。完璧に当たったわけではなかったが、遠い過去の出来事を私がこれほど正確に「感じ取った」というのは、彼女にとって本当に信じられないことのようだった。

「プッシュ・ステートメント」では成功も失敗もともに経験しているが、双方を天秤にかけてみれば、試してみる価値はあると思う。

＊＊＊

以上が「事実や出来事に関する要素」の説明だ。「主要な要素」のうち、「性格に関する要素」と「事実や出来事に関する要素」の二つは、相談者に情報を提供するか、少なくとも提供しているように見せることを含んでいる。しかし、コールド・リーディングのテクニックの中では、情報を提供するのでなく引き出すことが大きな部分を占めている。次に取り上げるのはそういう種類の要素だ。

C　情報を引き出す要素

これから取り上げる要素はどれも、相談者から情報を引き出し、大いに利用するために使うものだ。基本的には単に情報を要求して手に入れている。こういうとずいぶん図々しく聞こえるだろうが、もし必要ならサイキックはこのプロセスをきわめて巧妙に隠すことができる。実際のところ、相談者は自分がサイキックに情報を提供しているとはまったく感じないだろう。

直接の質問

まずは最も単純で明白なアプローチから紹介しよう。「直接の質問（Direct Question）」は、単にサイキックが自分のほしい情報を相手に要求するというものだ。たとえば、こんなふうに。

［例］「いま頭に浮かんでいるのは何か、教えていただけますか」

あるいは、こんなふうに。

［例］「私に会いに来られる方の多くは、何か心に重くのしかかってくるものを抱えています。生活面で何らかの答えを求めていて、トンネルの向こうに光を見たいと思っているの

です。あなたの場合は、何なのでしょう？」

これはあまりにも簡単すぎるように思えるかもしれないが、すべては相談者の態度にかかっている。お金を払ってサイキックに相談に来る人の多くは、既に信じようという気になっている。サイキック能力の「証明」など求めておらず、必要としていない。こういう人たちは助けを求めており、手を差し伸べるサイキックがそこにいる。話が細部に及ぶのは早ければ早いほど良いわけだ。

相談者がこういうタイプだと分かると、サイキックはこの状況を進んで容認する言葉を最初に持ってくる可能性がある。「料金に見合うだけの内容」をほのめかすのも役に立つ。たとえば、こんなふうに使う。

[例]「セッションをどこから始めてどういうふうに使うかは、すべてあなたしだいです。もしその方がよろしければ、じっくり時間をかけて、あなたが話を聞きたい分野と、ここへ持ってこられた具体的な問題を感じ取ることもできます。私はこの方法で構いませんが、ときにはしばらく時間がかかることもあります。もう一つの方法は、いま頭にあることを言っていただいて、さっさと本題に入ることです。私はいくらでも話をうかがいますし、あなたを助けて差し上げたいと思っています」

既に乗り気になっている相談者に語りかけたとき、サイキックはこの種の言葉によって、後で使えそうなあらゆる情報を引き出すことができる。極端な場合、相談者が堰を切ったように語る個人的な情報を、リーディングのきっかけになるだけの適当な長さに抑えることが、サイキックにとっての最大の問題になることさえある。

「直接の質問」は、リーディングの冒頭で相談者が求めていることに焦点を合わせるために使われることがいちばん多い。しかし、相談者に批判的なところがあまりなく、この種のあからさまな質問を受け入れてくれそうなら、リーディングのどこで「直接の質問」をしても構わない。

〔例〕
・「ではうかがいますが、現在、長期にわたる恋愛をしていますか、していませんか？」
・「仕事の面で満足していますか、それとも何か問題を抱えていますか？」
・「今日、交信してみたいと思っている故人はどなたですか？」

単純な「直接の質問」と、それを使うリーディングについてはここまでにしておく。しかし多くの場合、相談者はもう少し注意深いし、サイキックが情報を引き出すために使う方法は、もう少し繊細なものだ。

副次的な質問

「副次的な質問（Incidental Question）」とは、長い言葉の終わりに付加する形で問いかける、軽い調子の質問だ。リーディングの本流にたまたま付け加えたかのように、情報を求めることができる。

これには二つのタイプがある。一つは単に反応を促すもので、たとえば次のような形で使う。

［例］

・「……それってなぜでしょう？」
・「……これに思い当たるところはあります？」
・「……ここは何かと関係づけられますか？」
・「……これはあなたにとって正しい方向だと言えますか？」
・「……これはあなたにとって意味がありますよね？」

もう一つのタイプは、新人記者が叩き込まれる「5W1H」の質問にからめたものだ。たとえばサイキックは、ある「印象」または「兆候」を感じたと述べておいて、次のような言葉を付け加えるかもしれない。

[例]

・「……だとすると、これは誰のことでしょうね？」
・「……あなたの人生で、これと関係するのは何でしょう？」
・「……あなたの人生で、これと関係があるかもしれない時期はいつですか？」
・「……このことがあなたにとってどんな意味を持つのか、教えてください」

この要素がうまく機能するかどうかは抑揚や声の調子によって大きく変わる。くだけた調子でさりげなく紛(まぎ)れ込ませた「……これは誰のことでしょうね？」という言葉は、まるで夜の海を滑(すべ)る船のように目立たない。優秀なコールド・リーダーは、リーディングの至るところに「副次的な質問」をちりばめても相談者には質問されているとまったく感じさせないものだ。

ベールをかけた質問

「ベールをかけた質問（Veiled Question）」という要素は、質問でなく言明のように聞こえる形で情報を要求するものだ。サイキックはあたかも情報を与えているかのように振る舞いながら、実際には情報を引き出している。

たとえば、相談者が頻繁(ひんぱん)に旅行するかどうかを知りたい場面だとしよう。ここでサイキックは次のように尋ねるかもしれない。

〔例〕「いま私が受けている印象は、ずいぶん頻繁に旅をするような仕事に、あなたが関わっているかもしれないというものです。現在のことか、少し前のことなのかは分かりませんが、カードはそれを示唆（しさ）しています。何か思い当たるところがありますか？」

サイキックはほぼすべての質問を、自信なさげに聞こえる言明に変えることができる。家族、職業、関心事、問題、健康、恋愛など、あらゆる方面の情報をそうやって集めるわけだ。

▼質問の偽装

先ほどの例では「何か思い当たるところがありますか？」という「副次的な質問」が最後に付いていた。これにさらにベールを重ねて、実際に何も具体的に質問していないよう、もう少し確実に偽装する方法もある。たとえば、前出の例の後半を次のように変えることができる。

〔例〕「……現在のことか、少し前のことなのかは分かりませんが、カードはそれを示唆していています。ここまでくればあなたには関係づけられるのではないか、と私は感じます」

このように言いまわしをわずかに変えても、実質的には何も違いはない。相談者から有用な反応を引き出そうとしているのは同じだ。しかし、質問ではなく言明の形で考えを述べているという点で、より欺瞞的になっている。文法について厳密に言えば、サイキックは何も質問しなかったと主張できる。こういう使い方をすれば、抵抗なく情報を引き出せる場合がある。

▼テーマとバリエーション

「ベールをかけた質問」には、無数のテーマとバリエーションがある。たとえば占星術によるリーディングで、「あなたは車や家など、大きな買い物をしようとしているのですか？」と尋ねたい場合を考えてみよう。これを「ベールをかけた質問」に変えて、次のように言うことができる。

〔例〕「土星の影響が高まっていることから、お金や金融面での心配事が示されています。私の解釈が正しければ、お金か金融の大きな決断に関することのようです。しかも、その影響はかなり先まで及ぶ可能性があります。何か思い当たることはありませんか？」

名前や、その他の事実に関することをどこからともなく引き出すのも同じくらい簡単なことだ。たとえば透視を行なうサイキックは、数秒間集中するふりをした後、こんなふうに語るかもしれない。

［例］「ジェーンという名前が浮かんできています。どういう関係かはっきりしませんが、個人的な関係というより職業上の関係かもしれません。この時点でこの名前は、あなたにとって意味があるものだと思います」

これは言明のように聞こえるが、本当は「ジェーンのような名前の人を誰か知っていますか」という質問を別の形で投げかけているにすぎない。「ベールをかけた質問」を、よどみなく、もっともらしく聞こえるように使えば、サイキックが驚くべき能力によって重要な情報を既に把握していた、という強い幻想を生じさせることができる。その後、相談者と協力しながら細部に手を加えていく、というわけだ。

▼抑揚の調節

抑揚を細かく調節することによって、実際には質問をしているという事実を覆い隠すこともできる。たとえば、次の例を見てほしい。

［例］「ここでの印象は、スポーツや運動とのつながりでしょうか（？）」

自分で口に出してもらえば分かるが、抑揚によって言明としても質問としても使える。文末を平板に発音すれば言明に聞こえるが、文末を上げると質問になるというわけだ。

転用された質問

「転用された質問（Diverted Question）」は、既にリーディングに出てきた情報を取り上げ、それに手を加えた形で相談者に戻すというものだ。この要素がどのように働くかを見るために、タロット・カードを使って一対一で行なわれるリーディングの例で考えよう。それまでの部分で「直接の質問」を使ったやりとりがあったものとする。

［例］「ところで、正しく解釈するのを助けていただきたいのですが、教職かそれに似た仕事に就いておられますか？」

――「いいえ」

「分かりました。実際にはどういう仕事をされていますか？」

――「デザイン事務所の経営です」

サイキックはこれで確かな情報を手にしたわけだが、この一片の事実にまったく触れることなくリーディングを続ける。その間も頭の中で知識をかき集め、知識に基づく推測を行ない、どうやってその推測をリーディングに織り込むかを考えている。

デザインの仕事をしている相談者は、たぶん創造性があり、芸術志向の人だろう。自分で事務所を経営しているので、かなり自信にあふれていて健康状態もいいのだろう（重大な健康上の問題を抱えていれば、事業を興そうと思わないはずだ）。おそらく多くのストレスに直面し、長時間働いている。小規模な事業者の多くがそうであるように、一部の顧客が期日までに支払いをしてくれず、現金が不足するという問題を抱えていると想定してまず間違いない。

リーディングの後半で健康の問題を取り上げるときに、こうした合理的な推論を素材として取り込むことができる。たとえば、こんなふうに。

［例］「健康の問題に移りましょう。あなたに心配すべきところがほとんどないことを、カードは示しています。体調は概ね問題ありません。あなたは健康で気分も安定しており、ストレスや緊張をほぐす手段もお持ちです。しかし、繰り返し起きる不安の兆候がありま す。『コインの10』の存在は、それが金融か利益に関係している可能性を示唆しています。

これはなかなか面白いですね。この『崩れる塔』のカードは常に、物事を普通とは逆の方向から見るようにわれわれを導くからです。つまり、お金の問題と言うと、大多数の人にとってはお金が足りないということなのですが、あなたの不安は少し違うかもしれません。これらのカードが語っているのは、お金がこちらへ確かに流れてくるのに、多くの場合、どういうわけかあなたには手が届かないということです。しばしばそれがフラスト

「レーションのもとになっていると感じます」

このようにサイキックは、相談者の職業に関する単純な事実を基礎として、健康に関する内容へと拡張している。巧妙なのは、リーディングが始まってから一度も健康についての質問はしていないと堂々と主張できる点だ。

「転用された質問」では、わずかな情報からその先へと延長（外挿）し、リーディングの別の部分に適用できそうな結論に持ち込もうとしている。この結論は同じ話題（この例では「職業」）に関するものでもいいし、まったく別のもの（この例では「健康」）でもいい。後者のアプローチの方が気づかれにくい。

▼「スポーツ好き」な相談者

別の例として、リーディングの始めの方で、暇な時間に何をしますかと相談者に「直接の質問」で尋ねる場面を考えよう。相談者はスポーツが好きだと答えたとする。別の話題を続けながらサイキックは、この情報に基づいて頭の中で推測を行なうかもしれない。

相談者は「スポーツ好き」なタイプなので、たぶん健康の問題を真剣に考えているはずだ。おそらく喫煙や飲酒は控えめで、ジャンクフードも口にしない。そうした悪癖の持ち主とはあまり交流がなく、そういう人たちの集まる場所へもまず近づかない。魅力を感じる相手やパートナーもたぶん健康的な人だろう。もしそうでない場合は、健康的な生活を送るよう相手に勧めているかもしれない。

体調を維持するにはかなりの時間と努力を必要とする。だから、精神的には鍛えられているが、大衆的な文化やトリビアには縁が薄い可能性がある。カウチポテト族がテレビを見ている間、彼らはジムにいたり、ジョギングをしていたりする。そういうわけで、最近ヒットしたテレビ番組や映画や歌については普通の人ほどの知識がない。休暇の過ごし方は活動的で、一人で冒険もするかもしれない。ただのんびりビーチに寝そべって体を焼いたりしても、おそらくちっとも楽しめないだろう。誕生日のパーティなど社交の場に出かけるのは少し勇気のいることかもしれない。楽しみたい気持ちはあっても、食べ物や飲み物には普通以上に気をつけているからだ。ほどほどに飲むとしても、太ること間違いなしのパーティ料理を味わおうという気にはあまりならないだろう。

このような知識に基づく推測がうまくいけば、驚くような結果を出すことができる。通常の手段では知り得ないことをサイキックが知っているという強い印象を与えられるのだ。

一般的な知識に基づいているのだから、間違った推測をして正しくない言明を口に出してしまう可能性はある。しかし、既に何度か説明したように、間違えても問題はない。この点については、後の「ウィン＝ウィン・ゲーム」のところ（一七五ページ参照）で取り上げる。

専門語のたたみかけ

「専門語のたたみかけ（Jargon Blitz）」も相談者に情報提供を促すまた別の方法だ。サイキックが用いている（ことになっている）体系に明確に言及し、適当な専門語を次から次へと口にすることで効果を高め、相談者から情報を引き出すように持っていく。

タロット・カードを使うリーディングの場合は、特定のカードの意味を告げたり、タロット用語をちりばめたりすることになる。たとえば、こんなふうに。

［例］「たいへん面白いことに、『ソード（剣）の5』が出ています。これは小アルカナの中でも重要なカードで、心の問題における挑戦や闘争と伝統的に結びつけられています。興味をそそられるのは、このスプレッドの同じコンジャンクションに既に『隠者』が出ていることです。本来はロワー・トライアドの一つですが、いまでは孤独だけでなく個人的な目標の達成をも示すとされています。カードを見ると、この時点では恋愛よりもあなたの個人的な目標が優位にあることを示唆しているようです。思い当たるところがありますか？」

私の知る限り、「小アルカナ〔大アルカナが五六枚、小アルカナが二二枚〕」や「スプレッド〔カードの配置〕」はタロット占いで普通に使われる用語だが、「コンジャンクション〔合（ごう）。ホロスコープでは天体が重なっていること〕」や「トライアド〔三つ組〕」に大して意味はない。それでも何となく権威がありそうに聞こえるので、それでいいわけだ。

コールド・リーディングにおいて、それぞれのカードが持っているとされる伝統的な意味は問題ではない。タロット・カードの解釈を解説した本には、「塔」は現在の関係が変わることを意味する、などと書いてあるかもしれない。しかしコールド・リーダーは、通常のタロット占いでの扱いに関わりなく、どのカードにでも自分の好きなように意味を与えることができる。だからこそ「専門語のたたみかけ」はこんなに面白いのだ。伝統的な文脈で「正しい」とされているかどうかはどうでもいい。信頼できそうに聞こえ、相談者からの情報を引き出すきっかけになりさえすればいいわけだ。

同様に、占星術を使うコールド・リーダーに必要なのは、「トライン〔天体どうしの角度が一二〇度であること〕」、「アセンダント〔十二の室（ハウス）の起点〕」など、もっともらしく聞こえるほんのわずかな数の用語だけだ。

コールド・リーダーの中には、少なくとも専門語を正確に使うため、利用する体系を実際に学ぼうとする者もいる。こういう知識がコールド・リーディングのプロセスの害になることはないが、役に立つとも思えない。私の経験から言うと、占いの体系的な知識があってもリーディングの効果にはほとんど差が生じない。

知識を得た上で使うかどうかにかかわらず、「専門語のたたみかけ」はリーディングの非常に有効な要素だ。これによってサイキックは相談者に情報提供を促すやり方に変化をつけることができ、使われている信念体系を強化できる。コールド・リーダーの権威を示し、（前に論じたように）儀式めいた雰囲気を作ることで、やっかいな反応を封じて望ましい協力関係を構築するのに役立つ（四五ページの「セットアップ」を参照）。

消えていく否定

「消えていく否定（Vanishing Negative）」は、否定形の疑問文を使って、相談者が同意してもしなくても的中例の一つにカウントできるようにするものだ。たとえば、次のように使う。

[例]「職業の話に移りますが、あなたは子供を相手にする仕事をされていない？」
――「はい、していません」
「違うと思いました。そういうのってあなたの強さに見合う役割じゃありませんから……」

反応が違った場合、次のような形にもなる。

[例]「職業の話に移りますが、あなたは子供を相手にする仕事をされていない？」
――「いえ、パートタイムでやっています」
「そうだと思いました。子供への親近感が強く出ていますから……」

巧妙なのは、必要なら質問の否定形の部分を記憶に残らないように消してしまえるところだ。

▼一致の確認、安心させること、内容の拡張

「消えていく否定」は基本形でも非常に有用だが、装飾を施（ほどこ）してもう少し確かなものにする方法が少なくとも三つある。

・サイキックが相談者の反応を強化し、両者が完全に一致したと強調すること。
・相談者が否定した方の選択肢をけなし、安心させるようなコメントをすること。
・最初の質問はたまたま前置きとして述べたにすぎないかのように装い、内容を拡張すること。

説明のために、次のような例を取り上げよう。

〔例〕「ここからはお金と職業の問題に移ろうと思います。あなたは自営業をされているのではない？」
――「はい、違います」

まず、両者の一致を確認する。

〔例（つづき）〕「違うと思いました。そういうタイプの方ではないという、かなりはっきりした印象がありましたから」

そして相手を安心させ、別のタイプをけなす言葉を続ける。

［例（つづき）］「強気で押しまくる、自己中心的で見せかけばかりの事業家がいますが、あなたは違います。そういう人は、けっきょくどこへも到達できないものです！」

さらに、次のように拡張する。

［例（つづき）］「ともかく、あなたが誰か別の人のために働いていると感じたのは、雇い主との関係に変化が見えるからです……」

そしてサイキックは、相談者が自営でないことをまるで知っていたかのように振る舞う。本当は相談者に質問を投げかけて知ったのだが、その事実は静かに忘れられる。では、別のバージョンを見てみよう。

［例］「ここからはお金と職業の問題に移ろうと思います。あなたは自営業をされているのではない？」

――「いえ、やっています。しばらく前からです」

まず、（「消えていく否定」を使って）両者の一致を確認する。

［例（つづき）］「だと思いました。カードは明らかにそれを示唆していますから」

次に、相手を安心させ、やんわりと別のタイプをけなす。

［例（つづき）］「あなたは九時から五時までこき使われるだけの人じゃないと思います。あなたのような方は、そんなことで本当に希望がかなうはずがないのです。あなたには自分だけの強い衝動があるし、自分だけのアイデアがたくさんあります」

さらに、次のように拡張する。

［例（つづき）］「あなたが自分で事業をされていると感じたのは、今後の展開が非常に期待できそうに思えるからです……」

優秀なサイキックは「消えていく否定」を使って、またもや得点を上げることになる。

シャーロックの戦略

「シャーロックの戦略（Sherlock Strategy）」は、シャーロック・ホームズのように細かく観察して情報を得るという要素だ。「よくある誤解」（三五ページ参照）で説明したように、このテクニックは一部の文献が示唆するよりも重要度はずっと低い。それでも、サイキック・リーディングにおいて一定の効果があるのは間違いない。

コールド・リーディングの多くの要素と同様にここでも、情報をどのように引き出したかより、それをどう使うかの方が重要だ。たとえば、相談者が右手の爪を長く均等に伸ばしていて、左手の爪は短く切っている場合、たぶんギターを弾くのだろうと推理できる（逆に左手の爪が長くて右手の爪が短い場合、たぶんギターを弾くが、左利きでもあるということだ！）。この観察を利用するにしても、次のようなやり方はまずい。

［良くない例］「占星術のチャートは、あなたがギターを弾く人だと示唆しています」

サイキックとしての洞察力が感じられず、商売に悪影響を及ぼすからだ。それよりも、次のように言う方がいい。

［例］「双子座で、第三室（ハウス）にある金星の影響を受けていることから、何か芸術的な自己表現

をする傾向があると言えるでしょう。単に言葉を使うのでなく、もっと別のコミュニケーションや表現の方法を試してみたいという欲求を感じてきたことは、まず間違いありません。あなたはインスピレーションと創造性の源泉に近づくことができる人です。そうした面が、ほかの多くの人より発達しているのです。

あなたのチャートが示唆しているのは、音楽やハーモニーとの関わりです。そういう面をあなたは大事にするようになり、多くの場合、それが大きな慰めになっています」

「シャーロックの戦略」を好むコールド・リーダーは、手がかりとなる自分のお気に入りの項目をいくつか決めていることが多い。こうした手がかりにどれだけの価値があるかは、主観的な評価に左右される。あるコールド・リーダーにとってあまりにも「明白」な（したがってわざわざ言及するまでもない）手がかりでも、別のコールド・リーダーにとっては絶妙なヒントになるかもしれない。同じように、あるサイキックが「確実なサイン」だと思っても、別のサイキックはそれを「危なっかしい推測」でしかないと考えるかもしれない。

この注意点を頭に入れた上で、以下の八つの例を検討してみてほしい。あなたが「シャーロックの戦略」を使うとすれば、それぞれどんな結論を導き出すだろうか。ただし、これは息抜きのための例なので、時間をかけすぎないようにしてほしい。「確実な」答えがあるわけではなく、私自身はどれもそう役に立つとも信頼できるとも思わないが、付録の☆6（三六九ページ）に一応の回答例を示しておいた。

▼「シャーロックの戦略」による推理ゲーム

（1）相談者の喉の中ほど正面から左側にかけて、打ち身のような、ほぼ楕円形でかすかに黒い痕（あと）がある。

（2）女性の相談者。左手の甲、親指の付け根から手首にかけて、いくつか筋のようなものが見え、皮膚がかすかに赤く変色している。

（3）女性の相談者。脚の下部と踝（くるぶし）の周辺に、白いチョークの粉のような痕がかすかに見えるが、靴には付いていない。

（4）右手の親指、人差し指、中指にタコができている。

（5）女性の相談者で、顔か首に、黒子（ほくろ）か痣（あざ）がある。

（6）女性の相談者。ミント入り、またはミント風味のガムを持っていて、しょっちゅう噛んでいるようだ。

（7）指先や袖口（そでぐち）に青い粉がかすかに付着している。チョークの粉かもしれない。

（8）指先のあたりか、上着やコートの脇ポケットの近くに、油性の汚れか染みのような、薄い黒か濃い灰色の痕跡（こんせき）がある。

▼外見だけでなく、言葉にも

「シャーロックの戦略」は、外見だけでなく言葉にも適用できることに注意したい。たとえば、リーディングを始める前に、サイキックと相談者がちょっとばかり言葉を交わす機会があったとする。相談者はコートを脱いで座るとき、こんなことを言うかもしれない。

[相談者]「遅くなってごめんなさい。ウッドヴェールから戻ってくるのに、交通の具合が悪くて」

サイキックにとって「ウッドヴェール」は特に意味のない地名かもしれない。あるいは、大きな病院のある地域かもしれないし、ゴルフクラブや、評価の高い学校がある場所かもしれない。素晴らしい体育館と温泉のある保養地として知られているかもしれないし、農業フェアが週に二回開かれるところか、犬を連れて行って運動させる森林のある場所かもしれない。それがどういう場所だろうと、相談者がこの地名に触れたという事実から、サイキックは相手の職業、関心事、家族、現在の心配事について、とりあえずの推理を組み立てることができる。

▼二六年続けてきた仕事

観察に基づく推理が役に立つケースは限定されていると書いたが、それでもときには大きなで、ロサンゼルスでパラマウント・テレビジョンに招かれ、私はあるとき、効力を発揮する。「リーザ・ギボンズ〔一九五七―　米国の司会者〕」のトークショーにゲスト出演した。プロデューサーたちからコールド・リーディングの実演をするように求められたので、番組の前に私は透視能力のあるサイキックを演じた。

私はメイン・スタジオの隅にある小部屋に座っていた。そこへ観客の中から（制作チームによって無作為に）選ばれた四人の女性が一人ずつ入ってきて、私と向き合って座った。私は「サイキック能力による印象」を感じ取ってメモパッドに書きとめるふりをした。女性たちとは一言も言葉を交わさなかった。

四人の女性のうち、一人は五十代半ばだった。この人の服装、髪型、振る舞いは、自分をどう見せるかよく分かっていることを示唆していた。ファッション、美容、モデルの経験があるのかもしれなかった。金銀のアクセサリーをかなりたくさん身につけていて趣味はいいけれど、少しこれ見よがしでもあった。このことから、彼女は注目を浴びるのを楽しんでいて「服装で印象づける」傾向があると感じ、ショービジネスに関わっているのかもしれないと私は考えた。

その女性の姿勢（リラックスしているが背筋は伸びていて、顎（あご）は水平に保たれ、顔をうつむけていない）が示唆しているのは、呼吸をうまくコントロールする方法を心得ているということだった。そこで、瞑想（めいそう）や歌唱法を知っているか、フルートなどの管楽器を演奏する人ではないかと推測した。私が出した結論は、かつて歌手か演奏家だった可能性があるというものだ。

歌手はスポットライトを浴びることが多いから、たぶん歌手だろうと私は思った。

どんな歌手だろうか。オペラやクラシックの歌手のような体格ではないようだし、そういう優雅な雰囲気もない。非常にダイナミックでエネルギーに満ち、楽しい感じにあふれていたから、もっとくだけた軽い音楽だろう。ジャズだろうか？　もしそうだとすれば、年齢から考えて最も活躍したのはビッグバンドの時代、スイングジャズが人気だった頃だろう。こうして私は、たぶんキャバレーやバンドで「軽いジャズ」を歌う歌手だったのだろうと結論づけた。

コールド・リーディングの実演とは別に、後でこの女性と話す機会があったので、以前に歌手をしていたという「印象」を（いつものコールド・リーディングのスタイルで装飾を加えながら）彼女に伝えた。実際に彼女はジャズ歌手で、それまで二六年ほどキャバレーで歌っていたと分かったのは、非常に満足のいく結果だった。

二六年間やってきたことを言い当てられた彼女はすっかり驚いてしまい、これこそ私の「サイキック・パワー」の有力な証拠だと考えた。（いつもテレビで実演するときにやっているように）種明かしをした後も、彼女は私が本物の透視能力を持っているのではないかと怪しんでいた。

ロシアの人形

「ロシアの人形（Russian Doll）〔マトリョーシカのこと〕」という要素は、いくつも重なった意味の層を持ち得る言明からなっている。サイキックは最初の言葉を提示するほか、必要があればほかの意味の層を探りながらヒットを狙う。これは「タマネギの皮（Onion Skin）ステートメント」とも呼ばれる。たとえば、次のようなものだ。


［例］「これから、あなたのお嬢さんについてお話ししたいのです。あなたには娘さんがいますね？」

――「いいえ」

「それなら、ここで私が言っている人は義理の娘さんなのかもしれません。それだと思い当たることがありますか？」

――「いいえ、ありませんが」

「あなたが名付け親になったお嬢さんかも」

――「でしたら、友人に娘がいて私が名付け親なのですが……」

「明らかにそれが私の受けていた印象です。あなたの娘さんか、娘さんのような人だということは分かっていたので……」


この想像上の例だと、内容がうまく一致するまでにサイキックは三度の試行を必要とした。別のケースでは、一度目か二度目に同意が得られるかもしれない。文字で読むとぎこちなく見えるが、サイキックが実際にこの要素を使って相談者が何も文句をつけなかった事例に接したことがある。それに、たとえ変化をつけたすべてのパターンが否定されたとしても、抜け道は常に存在する（後述の「ウィン＝ウィン・ゲーム」を参照）。

▼「音楽」と「収集」

もう一つ、「ロシアの人形」の良い例をお目にかけよう。

［例］「あなたの人生で音楽に関係のあることが、ここにはっきり示されています」

たまたま相談者が楽器を演奏する人なら、うまく的中したことになる。そうでなかった場合、サイキックは最初の言明に手を加えて合意が得られるかどうかを探っていく。バリエーションは無数にある。相談者は楽器を演奏する／かつて習い始めたことがある／習いたいと思っている／歌を歌う／コンサートやクラブに出かける／少なくとも、素晴らしいライブ演奏の良さが分かる／自分にとって大きな意味のある音楽のコレクションがある／ラジオをよく聴く、などだ。

非常に成功率の高い別の「ロシアの人形」要素は、物を集めることに関係している。

〔例〕「あなたは何か収集しているように感じます。何らかのコレクションが私に見えるのは、どういうわけでしょう?」

私の経験上、相談者が女性で、十代半ばの無茶をする年頃以外ならどんな年代でも、「収集」に関する「ロシアの人形」要素はうまくいく可能性がきわめて高い。中国人形から有名人そっくりの形をしたポテトチップスまで、物を集める女性は多い。

しかし、「集める」という言葉はさまざまな意味に解釈できる。相談者に「収集癖」がなく、収集に興味がない場合でも、友人、経験、あるいは人生の浮き沈みから得られる知恵を「集める」人だと言えば、たぶん受け入れてくれるだろう。サイキック・リーディングという奇妙な領域では、とんでもなくひねくったこんな解釈でも「正確さ」を示すものとして称賛されることがある。

▼さまざまな「工場(ミル)」

私は一度、ある霊媒が「ロシアの人形」要素を見事に使ったリーディングを聞いたことがある。相談者の愛する人が亡くなって、その故人からのメッセージを受信するという場面で、霊媒は自信たっぷりに、(霊となった)故人には「ミル(工場)」で働いた記憶があると述べていた。私の住んでいるイングランドでは二十世紀の初めに、労働者の大多数が何らかのミル(綿工場、製鉄所、鉛工場、製粉所など）で昼夜を問わず働いていた時期がある。つまり、特定の年代、特定の階層の相談者に対して、これは当たる確率がきわめて高い、優れた「ロシアの人形」要素だった。

＊＊＊

以上、できるだけ目立たない形で相談者から情報を引き出す要素について説明した。次は、「未来の出来事に関わる要素」を取り上げる。

d　未来の出来事に関わる要素

サイキックは相談者の未来を見通す能力があるとされ、サイキック・リーディングが将来にまったく触れずに終わることはまずない。ここからは、どうして常に（あるいはほとんど常に）将来の出来事を正しく言い当てられるのかを見ていく。

ただその前に、少しばかり誤解を解いておきたい。

▼マジシャンの予言との違い

繰り返しになるが、本書が扱うのはコールド・リーディングで、マジックやメンタリズムのトリックではない。この点についてしばしば混乱が見られるので、ここでもう一度強調しておこう。

既に述べたように、「サイキック」のトリックで味付けをしたマジックはメンタリズムと呼ばれている。私が専門とするこの分野は非常に面白い。あるとき私は、予言を書いて封をしたものを、英国で人気の高い昼間のテレビ番組宛てに郵送した（リチャード・マドリー〔一九五六― 英国のジャーナリスト、テレビ司会者〕とジュディ・フィニガン〔一九四八― 英国のテレビ司会者、作家〕が出演する「This Morning」だ）。私は二日後に、その番組に出ることになっていた。局に届いた封筒は、司会者たちがサインした上で、プロデューサーが金庫に保管した。

二日後、私は番組に出演した。まず、封筒が鍵のかかった金庫の中にあったこと、私がそばに近づけなかったことをリチャード・マドリーが確認した。そしてリチャードが生放送中に開封したが、私は封筒に手を触れもしなかった。封筒の中にあったのは、その日の朝刊の見出しを正確に予言した紙だった！

別の例を挙げよう。あるとき私は、英国のテレビ界で最も成功して尊敬を集めていた一人、エスター・ランゼン〔一九四〇― ジャーナリスト、テレビ司会者〕の討論番組に出演した。スタジオに観客が入る前に、私が予言を書いているところをスタッフがビデオ撮影した。ただし、何を書いているかは分からないアングルだ。私は封筒に予言を入れて封をし、エスターに渡した。彼女は封筒にサインをして保管した。このビデオは、番組が始まる前に私が予言を書いて封をした証拠となった。

その後、観客が到着して番組が始まった。ほかのゲストに、科学者・作家として尊敬されているスーザン・ブラックモア〔一九五一― 英国の作家。心理学や超常現象に関する著作が多い〕がいた。彼女は観客の中から無作為に一人を選ぶように求められた。その選択に私は関わっておらず、スーザンが誰を選ぶかはまったく分からなかった。選ばれた観客はサム（たぶん「サマンサ」の愛称）という名の女性だった。サムは立ち上がって一組のイニシャルをただ思い浮かべるよう求められた。私の予言の入っている封筒はまだ、司会者エスターの手元にあった。私はスタジオの端にいて、エスターとサムと封筒から遠く離れていた。サムは「T」と「H」を思い浮かべたと言った。エスターはサムに封筒を渡し、サムが封を切った。中にあったのは私が使ったメモパッドで、そこに書いておいたのは大きなボールド体の「T」「H」だった。この番組についてはウェブサイトにも詳しく記載してある（www.coldreadingsuccess.com 内の「Vault」）。

番組が始まる前に、予言を入れた封筒をエスター・ランゼンに手渡す著者。（© BBC テレビジョン）

メンタリズムの実演は、うまくやれば非常に面白く、興味をそそるものだ。私はメンタリズムを仕事にしているわけではないが、このようなショーを世界中でやっていて、心を読む、未来を予測する、金属を曲げる、といった「サイキックな」ことができるように見せている。同様のことをやってみせるメンタリストは大勢いて、私よりずっと上手な人がほとんどだ。マジシャンやメンタリストの実に素晴らしいコミュニティに連なっていることを、私はとても誇りに思っている。

この種の実演はトリックで、ノコギリで女性を真っぷたつに切るのと同じことだ。新聞の見出しを予言したのもトリックだし、サムが思いつくイニシャル「T」と「H」を予言したのもそうだ。この本ではメンタリズムのトリックは取り上げない。どうやって実現させたかを知りたければ、マジックのクラブに所属し、専門書を何冊か読んで練習を重ね、良い先生につくべきだ（私も教えている）。五年ほど訓練すれば同じようなことができるようになる。

ここでは、コールド・リーディングを使って未来についての言明を行なう方法を説明する。このテクニックは、マジシャンやメンタリストがやって見せる予言とは何の関係もない。どうかこの違いを心に留めておいてほしい。

ピーターパンの予言

「ピーターパンの予言（Peter Pan Predictions）」では、とにかく何であれ相談者の聞きたがっていることを予言する。これはあまりに単純で、特に言及する価値はないように思えるかもしれない。しかし、これはサイキックが相談者を引き込むための重要な側面なので、ここで取り上げないわけにはいかない。実際、この要素が最も重要だと述べている文献もあるくらいだ。

もちろん、サイキック・リーディング以外の場面でも「ピーターパンの予言」はよく見られる。広告やセールスの文句はどれも、同じメッセージを伝えようとしている。つまり、ある商品を買わずにいるより買った方が購入者の未来は良くなる、ということだ。これが事実である確率と事実でない確率はせいぜい同じくらいだが、それでもわれわれには信じようとする傾向がある。

サイキック・リーディングの文脈において「ピーターパンの予言」は、相談者が最も関心がありそうに見える「主要なテーマ」(五七ページ参照)のために取っておくのが普通だ。健康が心配? 大丈夫、いずれまた健康になると出ています。お金の問題? すべて解決しますよ。新しいロマンス? おめでとうございます、華々しい成功が待っていますよ! このように単純なものだ。相談者が実現してほしいと思っていることがなんであれ、サイキックがうまく取り計らって実現させてくれる。多くの人は、少なくとも誠実で信頼がおけるように聞こえる仕方で、この種のことを聞かせてもらいたがっているようだ。

もちろん、サイキックの観点からすると、未来についての言明はどう転んでも安全だ。リーディングの時点で、相談者は言明が正しいかどうかをチェックできない。後になって予言が当たった場合、それはサイキックの優れた能力の証明として記憶される。当たらなかった予言は忘れられる。

ポリアンナの真珠

「ポリアンナの真珠（Pollyanna Pearls）」は、このところうまくいっていない物事もじきに良くなる、という形式で図々しくも押し出す予言だ。この名称は、エレナ・ポーター（一八六八―一九二〇　米国の小説家）が一九一三年に書いた小説の主人公、どこまでも楽観的な少女ポリアンナにちなんでいる。典型的な例をお目にかけよう。

［例］「この二、三年間は金銭の面で変動が続きましたが、これから一八カ月ほどはかなり楽になりますよ」

「ポリアンナの真珠」は人生のほとんどの側面に適用でき、ほぼどんなタイプのリーディングにも使える。いくつかほかの例を以下に示す。

［タロットによるリーディングの例］「これらのカードは、人間関係が昨年、心配事の源になっていたことを示しています。たぶん、親しいお友達でもこの事情は十分理解できないでしょう。しかし、こうした心配事は薄らいでいって、これから六カ月から一二カ月の間は、ずっと楽しく平穏に過ごせるでしょう」

［交霊術の例］「あなたの亡くなったおじいさんがここにおられます。お金については、心配するなとおっしゃっています。あなたがお金の問題を抱えていることをご存じですが、金銭面は今後ずっと良くなると、あなたに知らせてほしいとのことです」

［占星術の例］「あなたのチャートでは、過去六カ月にわたって葛藤の要素があり、それが職業上の困難につながった可能性があります。しかし、最近になって土星が入ってきました。このことは良い方向への変化を示していて、年末までにはずっと満足のいく道を進んでいるはずです」

「ポリアンナの真珠」は非常に柔軟な要素だし、（リーディングの時点では）検証不可能なので、失敗につながることはほとんどない。いずれにしても、誰でも喜ばしい知らせを聞きたいということだ。

確実な予言

「確実な予言（Certain Predictions）」は、どう転んでもはずれようのない、折り紙つきの予言だ。例をいくつか挙げておこう。

［例］

・「新しく誰かがあなたの人生に入ってこようとしています」
・「ちょっとした病気かケガを示唆（しさ）しています」
・「投資か、あなたが購入したものに関して問題が起きるでしょう」

ここに仕掛けられたトリックがお分かりだろうか？　サイキックはこうしたことがいつ起きるかということを、都合よく言い忘れている。時間のスケールに言及しないので、はずれることはない。

話したことが早めに起きたら、「手軽な」予言を正確に行なったと評判になる。何年も経ってから起きたなら、そんなにも遠い先のことを見通したと評価される。何も起きないまま相談者が世を去っても、返金を求められることはない。

いつか見た素晴らしいドキュメンタリー番組に、数人のサイキックが行なうリーディングの模様を隠し撮りしたものがあった。リーディングのいくつかは未来についての予言を含んでいた。制作チームは六カ月後にサイキックたちを訪れ、予言通りにならなかったことを突きつけた。サイキックたちは「そのうち実現します」と答えるだけだった。それからさらに六カ月待った制作チームは、なおも予言通りになっていないことを再びサイキックたちに告げた。答えはもちろん前とまったく同じだった。

BORG

私の友人がリーディングを行なっていたときのことだ。相談者は自分の頭にあったことを前もって紙に書いていた。そこにあったのは「borg」という文字だった。友人はしばらく考えて、それが何を意味するか理解した。相談者の娘は出産を控えていて、赤ちゃんが男の子か女の子か（a Boy OR a Girl）ということが相談者の関心事だったのだ。

BORGは二通りのうちどちらか一つにしかなり得ない出来事についての「五分五分の予言」だ。相談者は自分が望む役職に就けるかどうか。一ヵ月後の株価は上がっているか下がっているか。優勝するのは紅組か青組か。

一部のサイキックはこうした質問を取り上げて予言することを好む。当たる確率はどれも五分五分だから、予言の数を増やして見かけ上の的中を増やすのは難しくない。年に一〇〇回こういう予言を行なえば、年末には全部で五〇ほどの予言を的中させたことになる。自分が行なったすべての予言を注意深く記録しておけば、的中した予言について宣伝したり懐疑派に対抗したりするのに役立つ。

的中しなかった方はどうするのか？　サイキックの予言をわざわざ記録しておき、はずれた例を突きつけてやろうとする人はめったにいない。万一そういう事態になっても、予言内容が間違って伝えられた、あるいは予言の報道は不正確だったが、予言そのものは正しかった、と主張できる。しかし最も単純で効果的な防御法は、にこやかに笑って間違いを認めることだ。

[例]「ええ、確かに私は一つか二つ、間違った予言をしました。それは解釈のプロセスですから、なかなか難しいのです。私はけっして間違いを犯さないと主張したことはありませんよね？　でも、たいていは当たるのです」

あるいは、もう少し防御的な姿勢で、次のように言うかもしれない。

[例]「私はどなたにも信じてくれとは言っていません。ええ、間違うこともあります。でも、相談にこられる方たちは私の提供するサービスの価値をご存じです。正直なところ、大事なのはそういう人たちです」

当たりそうな予言

「当たりそうな予言（Likely Predictions）」は、合理的に考えて的中する可能性のある、未来に関する推測を述べるものだ。既に紹介した「確実な予測」とは違い、「当たりそうな予言」はタイムスケールを含む。例を挙げよう。

[例]「来月中に、かなり長く消息を聞かなかった人から、思いがけず連絡が入ると出ています」

こういうことはよく起きるので、的中する可能性はかなりある。それでも、サイキック業界の風変わりな自己宣伝手法によって、こうした予言は驚異的なものに見えてくる。ほかにも例を挙げておく。

［例］「これから一年の間に、あなたかあなたの家族を巻き込む事故、割れたガラスか落下するガラスに関係のある事故が起きるようです。幸いなことに、深刻なことには至りませんが、最初は心配の種になるでしょう」

この予言も、始終起きていることなので、当たる可能性はかなり高い。また、サイキックの言明には相当大きな許容範囲が適用されることも覚えておく方が良い。前記の「ガラス」には、さまざまなものを当てはめることができる。ワイングラス、ガラス窓、鏡、車のヘッドライト、ガラス瓶、眼鏡(めがね)、ガラスのテーブル、水槽、天窓……等々。凍った池の表面のように、単にガラスに似たものでも構わない。サイキックの手がける驚異の領域では、何でも解釈しだいだ。

当たりそうもない予言

驚いたことに、たまには「当たりそうな予言」だけでなく、わざと「当たりそうもない予言（Unlikely Predictions）」をしてみるのも価値があるとサイキックは考える。はずれても害はない。しかし、たまたま何かのめぐり合わせで当たったら、それは輝かしい宣伝効果を持ち、信用を強化する良い機会になる。また、懐疑派に打撃を与えるのに打ってつけの材料にもなる。こうしたさまざまな理由から、サイキックはときおり、おそらく実現しないと分かっていることを予言する。

〔例〕

・「これからの四週間に、イニシャルがあなたとまったく同じ人に出会うでしょう」

・「銀色の車に乗っていて、後部座席に犬を乗せている旧友に会うでしょう」

その性質からして当然だが、「当たりそうもない予言」はたいていはずれる。しかし、まれに的中した場合、サイキックの能力を示す説得力のある事例として宣伝できる。けっきょくのところ、予言内容が起こりそうもないことであればあるほど、まぐれで当たった場合は驚くべきことに見える。

サイキックが一日に一回リーディングを行ない、一回のリーディングに一つ「当たりそうもない予言」を組み込むとすると、一年が終わる頃には一つか二つ的中していてもおかしくない。当たる数が少ないといっても、予言内容がどう見ても起こりそうもないことからくる宣伝効果はとても大きい。こうしてサイキックは自身の評価を高めていく。

ストレートな予言

これは少しだけ先の未来についてストレートに告げる予言だ。

[例]

・「あなたは次の三月、休暇を取るか、長い旅行をするでしょう」
・「六月に友達から、思いがけない祝い事の知らせを受け取るでしょう」
・「今年のうちに、なくしたと思っていた、家族の大事な思い出の品を見つける様子が見えます」

こうした予言に、策略めいたものはない。単に推測するだけで、当たるかもしれないし、はずれるかもしれない。それでも、このような予言をすることは、サイキックにとって有利に働くことが多い。

なぜなら第一に、相談者は的中した予言だけを記憶し、あとは忘れてしまうからだ。第二に、聞いた予言が的中した場合にのみ、相談者はそのことを人に話す傾向があるからだ。予言を聞いてそれが当たったと言えば、友達との会話は大いに盛り上がるだろう。サイキックに会いに行って予言を聞いたが、けっきょくはずれたという場合、それを人に話す価値があると思う人は少ない。話の種として面白くないからだ。

サイキックにとって有利に働くもう一つの要因は、相談者が後で、うまく当てはまる方向にリーディングを解釈しなおす傾向があることだ。たとえばサイキックが、単に「来年のいつか、三月か四月頃に、大事な旅行をする」とだけ予言したとする。そして、この相談者が六月頃にオーストラリアへの出張を命じられたとしよう。この話を誰かにするとき、この相談者が「来年の中頃、六月か七月に海外へ出張するでしょう」と告げられたと言ってもおかしくない。サイキックが実際に口にした言葉はまったく違っていて、的中などしていなかったのだが、そんなことは誰も気にしない。

自己実現的予言

サイキックの予言に使われる別の巧妙なテクニックに、自ずと成就していく過程を告げる「自己実現的予言（Self-fulfilling Predictions）」がある。これはたいてい、相談者の気分や人格のいろいろな側面に関係している。例を挙げよう。

〔例〕「あなたはもっと前向きで友好的に振る舞うようになります。これまでの不満の種だったものの多くを捨て去って、新たなスタートを切るでしょう。自分自身に対しても他人に対しても良き友人となります。交友の範囲はすぐに、いまより広がるでしょう」

多くの場合、この種の予言は自己実現的になる。自分はもっと人に好かれるようになると確信して帰って行った相談者は期待で胸を膨らませているはずだ。気分が良くなっているから、前より快活で社交的になる。社交性が高まれば、友達もできやすくなる。サイキックは時のカーテンの後ろから、うまく未来をのぞいたわけだ。

同様の効果を持つ別の例を挙げておこう。

［例］「誰の人生にも働く時期と遊ぶ時期があります。あなたが最近、仕事の面で少し焦点がずれてしまっているかもしれないことを、これらのカードが示唆しています。しかし数カ月経つと、働く目的と方向性が一新されます。見えてきた機会を手に入れるために、新たに身につけた健全な野心と賞賛すべき決意を持って働き始めるでしょう。もちろん、ある程度の努力は必要ですが、最後には報われるでしょう」

これには無数のバリエーションがある。自信がついてくる、人間関係の問題を解決する、不安を感じなくなる、健康と体調維持の努力を続ける、いったんやめた趣味を再開する……等々。どの場合も、相談者がサイキックの言葉を信じさえすれば、予言は実現に向かう。

曖昧な予言

コールド・リーディングには曖昧な言葉しか使われていない、という誤解については既に述べた(「よくある誤解」、三五ページ参照)。何年かの間に、コールド・リーディングは主として曖昧な言明と推測に依存しているという、一部の人が示唆しているのを耳にした。このような人々には共通点が二つある。リーディングを受けた経験がないということと、コールド・リーディングの知識が何もないということだ。

しかし、予言を行なうサイキックにとって曖昧な表現が大いに役立つのも事実だ。予言を何層もの霧で包み込むのは、霧の中で何も見えないようにするのではなく、霧の中に何でも見つけられるようにするためだ。多くのサイキックの予言は事実上、曖昧さを芸術の域にまで高めている。私がよく使う「曖昧な予言(Foggy Forecasts)」は次のようなものだ。

[例]

・「旅を示唆しています」
・「あなたの人生に成果をもたらす新たな源泉が見えます」
・「あなたの人生は、進歩の新しい段階に入るでしょう」
・「六月に驚くような局面がありますが、その重要な意味が明らかになるのは、年内でももっと後の時期です」

占星術によるリーディングには特に、この種の中身の薄い予言が適している。これは占星術の信奉者が（「信奉者」の定義通り）何も意味の存在しないところに意義を感じ取れるからかもしれない。

検証不可能な予言

「検証不可能な予言（Unverifiable Predictions）」は、当たったともはずれたとも相談者が確認できない予言のことだ。これを組み立てるのは特に難しくない。相談者には知り得ない物事を予言の基礎にするだけのことだ。たとえばこんなふうに。

【例】「誰かあなたの知っている人が、あなたに対して密かに恨みを抱くでしょう。彼らはあなたの障害になることを画策しますが、あなたはほとんど気づきもせずに、それを乗り越えてしまうでしょう」

ここに使われている言葉づかいに注意してほしい。予言が当たったかはずれたか、相談者には判断しようがないことがよく分かる。もう一つ別の例を見てほしい。

【例】「あなたの働いている場所で、何かの裏取引が行なわれるでしょう。あなたはそこに関わっていませんが、長期的にはあなたにとって有利になることです」

「検証不可能な予言」を使うサイキックは間違うことがない。どう転んでも間違う心配がないというのは、サイキックにとってありがたいことだ。

一方向でのみ検証可能な予言

「一方向でのみ検証可能な予言（One-way Verifiable Predictions）」は、たぶんコールド・リーディングにおける予言のうちで最も巧妙なものだろう。この予言を検証することは可能だが、それは予言されたことが実際に起きた場合に限られる。起きなかった場合は、予言がはずれたことをけっして証明できない。たとえば、次の例を見てほしい。

［例］「あなたの仕事に影響を与えるニュースを、友達が電話であなたに伝えようと考えるでしょう。しかし、ぎりぎりになって知らせるのを思い留まるかもしれません」

可能性をよく見てほしい。もし偶然に友人がそういう電話をかけてくれれば、予言は当たったことになる。もし電話してこなければ、サイキックが可能性に言及しているように、知らせるのを思い留まったせいにしてしまえる。例をもう一つ挙げておこう。

［例］「過去にあなたと仕事上のつながりがあった人が、興味深い仕事の機会のことをあなたに知らせるために、連絡しようという気になるかもしれません。しかし、あなたにふさわしい報酬を提示できそうもないと知って、連絡するのを見送る可能性もあります」

前の例と同様、サイキックが正しかったと証明できる可能性はあっても、間違っていたという証明はけっしてできない。サイキック・リーディングを商売にしている人にとって「一方向でのみ検証可能な予言」は実に素晴らしい要素だから、ある程度まで自在にこれを使いこなす能力を開発しておく価値がある。

公開で行なう予言

これまでに取り上げたテクニックは、主として非公開リーディングでの予言に使われるものだった。しかし一部のサイキックは、公開の場でリーディングをする機会があれば積極的に手を挙げたいと考えている。したがって、メディアに登場して評判を獲得したいサイキックが使うテクニックについても、ここで触れておく価値がある。私はこれをコールド・リーディングそのものとは考えていないが、取りこぼしを防ぐために取り上げておきたい。

サイキックは、スポーツ競技会や選挙の結果を占うために、公開イベントへの出演を依頼されることがある。そういうとき、サイキックには二つの選択の道がある。優勢と思われている方に合わせるか、あえてその逆をいくかだ。最初の道を選べば当たる可能性が高いが、あまり感銘を与えることはできない。第二の道を選んだ場合、的中する可能性は低いが、たまたま予言通りになった場合、それだけ強烈な印象を与えることになる。どちらを選んでもそれなりに利点があり、サイキックの評判に傷がつくことはない。予言が当たらなかったとして、だから何なのか？　たいていの場合、誰も気にしないし、誰も覚えてはいない。

たとえ予言がはずれたことで誰かに追及された場合でも、懸命に努力したところで人間は不完全なものだということを、丁寧に答えるだけでいい。

〔例〕「私は間違わない、などと言ったことはありません。われわれは誰でも、物事を学ぶ途上にいます。私もこの分野で長年やってきて、いまも研鑽を続けていますが、ときどき間違いをしでかします。でも、与えられた能力をできる限り伸ばそうとしていますし、全体として見れば、私の成績はまずまずのものだと思っています」

▼災害の予言

地震、飛行機事故、暗殺などの悲惨な出来事について予言したがるサイキックもいる。こういう場合、曖昧な予言を頻繁に行ない、すべて記録しておく。もし予言がたまたま当たったら大声でアピールできるというわけだ（どのみちいずれ起きるので、辛抱強く待っていればいいい）。

この種の予言は物議を醸（かも）すこともあるので、あえて手を出そうとするサイキックは少ない。死者の出る恐ろしい出来事を自分の宣伝に利用するのは、残酷で悪趣味だと思われるおそれがあることが理由の一つだ。

また、やっかいな質問を投げかけられるという問題もある。たとえば飛行機事故が起こると知っていたのなら、なぜ関係者に警告して未然に防ごうとしなかったのか、というものだ。どう手を尽くしても事故が起きるのは避けられないと分かっていた可能性も考えられるから、フェアな質問ではないかもしれない。とはいえ、サイキックにとっては引きずり込まれたくないたぐいの質問だ。

▼別々の場所で予言を変える

ずっと前から使われているテクニックの一つに、別々の場所で互いに相容れない予言をするというのもある。既に説明したBORG（一五九ページ参照）にも似ている。

Aという雑誌では紅のチームが勝つと予言し、Bという雑誌では青のチームが勝つと予言する。試合の後、スクラップブックに保存され、後の記者会見で言及されるのはどちらの記事だろうか？　互いに矛盾する予言が行なわれた事実を誰かが掘り起こすことはまず考えられない。たとえそういう人が現れようと、サイキックは単に考えが変わったとか、最初の予言をした後で自分が感じていた「印象」が変化したとか、どうにでも主張できる。言い逃れの道は常に用意されている。

《補足――本当はなかった予言》

公開の場での予言に触れたついでに、最も効果的で強力な予言テクニックの一つを取り上げておきたい。それは、「本当はなかった予言（Neverwas Prediction）」というものだ。

これ自体はコールド・リーディングではないので、この本で取り上げる三八の要素の一つには数えなかった。それでも本当に素晴らしいテクニックなので、ここで触れておきたい。

「本当はなかった予言（Neverwas Prediction）」は、インタビューやそれに近い公開場面だけに関係している。サイキックがジャーナリストのインタビューを受けることになっているとしよう。インタビューの前にサイキックは、しばらく前に自分が予言し、実際にその通りになった驚くべき事例があるとして、印象的なストーリーをこしらえる。たとえば、意外な選挙結果か何か新聞の見出しになるようなイベントで驚くほど正確に予言を的中させた、といったことだ。実際は作り話にすぎないのだが、その点は重要でない。大事なのは、ジャーナリズムが取り上げたくなるいい話ということだ。ひねった結末があればなおいい。

インタビューの間にサイキックは、驚異的な的中となったお気に入りの（実際には起きなかった）エピソードに触れる。ジャーナリストはそれをメモする。インタビューの後、どんなことが起きるだろうか。

第一のシナリオ　インタビューを記事にするジャーナリストは、予言の話を書くときに「サイキックX氏の主張によると、五年前……」といったただし書きをつけるかもしれない。しかし、必ずそうするとは限らない。こういうただし書きをつけることが必要、あるいは望ましいと考えるジャーナリストばかりではない。ことによると予言の話を、きちんと記録に残っている事実であるかのように書いてしまうかもしれない。いったんアーカイブに収められたニュースは、いつまでも繰り返し使われ続けることになる。

第二のシナリオ　良心的なジャーナリストがただし書きをつけて原稿を書いたとしよう。インタビュー記事が印刷されるまでに、何らかの理由でただし書きがはずされる可能性がある。たとえば、ページにうまく収まるよう、過労気味の副編集長が急いで原稿に手を入れるかもしれない。ただし書きを削ったせいで、偽の予言の話があたかも事実であるかのような形で印刷されることになる。

第三のシナリオ　インタビュー記事がただし書きをつけたまま印刷されたとしよう。しばらく経って、別のジャーナリストが同じサイキックに関する記事を書こうと思いつく。二人目のジャーナリストはニュースのアーカイブを調べて最初のインタビュー記事を見つけ、自分の記事で触れることにする。この話は少しだけ形を「整えて」繰り返されるが、退屈なただし書きはついていていない。この場合もやはり、事実であるかのように提示されてしまう。

どのケースでも、「本当はなかった予言」が事実を伝えるニュースのアーカイブにしっかりと収まってしまう。その後は何十年にもわたって、雑誌の記事や本の中で繰り返し取り上げられるだろう。さらに、ドキュメンタリー映画作家が予言の話を「再現」しようと思い立ち、「再現」と「でっち上げ」の区別もつかないまま、何百万という観客がそれを観ることになるかもしれない。

実際にそういうことが起きたと言っているのではない。ここでは可能性について述べているだけだ。

＊＊＊

「未来の出来事に関わる要素」の説明は以上だ。リーディングの「主要な要素」の説明もここまでとなる。

ここからは、サイキックが苦しい立場に追い込まれたとき、何が起きるかを見ていこう。

リーディングの仕組み　４／７――ウィン＝ウィン・ゲーム

これまで、「セットアップ」、「主要なテーマ」、コールド・リーディングのプロセスに含まれる「要素」を見てきた。

これらの要素を使うとリーディングを見事に的中させることが可能で、多くの場合はうまくいく。しかし、ときにはサイキックの提示した言明を相談者が否定する場合もある。それは正しくない、自分にとって意味をなさない、と反論してくるのだ。

サイキックにとってこれは問題ではない。それでも正しい、あるいは部分的には正しいと主張する方法がいくつもあるからだ。相談者が言明を受け入れればサイキックの勝ち、受け入れなくてもけっきょくはサイキックが勝つ。そこがコールド・リーディングの愉快なところだ。

七種類のリビジョン（調整）

サイキックが否定的な反応に対処する主な方法は二つある。リビジョン（調整）とコーダ（終結）だ。リビジョンの方が面白くて役に立つので、そちらをまず説明し、その後で二種類のよくあるコーダを見ることにしよう。

サイキックが利用するリビジョンは多数あるが、ここでは最も有用で柔軟に使える七つを紹介する。

フォーカス（焦点）に関するリビジョン

リビジョンの一つ目は、言明にいくつかの部分ないし考えが含まれているときにのみ適用される。相談者がそのうちの一つに肯定的な反応を示した場合、サイキックはすべてのフォーカス（焦点）と注意をその部分に合わせ、それ以外は薄らいで忘れられ、触れられなくなるようにする。このとき、謝罪も説明も行なわない。例を挙げよう。

［例］「海外とのつながりで、マイクかマイケルのような名前が浮かんできました。仕事の関係かもしれないし、長く会っていない友達かもしれません。誰か思い当たる人がいますか？」

この言明は、「海外とのつながり」「マイクかマイケル」「仕事の関係」「旧い友人」という四つの部分からなっている。

サイキックが非常に幸運なら、相談者は四つの要素すべてかほぼ全部を受け入れるだろう。しかし、たとえ四つのうち一つしか受け入れなかったとしても、リーディングを成功させるにはそれで十分だ。相談者がこう答えたとする。

［例］「海外に友人はいますが、マイケルではなく、サイモンです」

ここでサイキックはフォーカスの調整を行なう。

〔例〕「ああ、その人のことです。いま、どこか海外にいるあなたの友人です。私が言いたかったのは、その人が近いうちに連絡してきて、あなたにとって大事な機会を提供してくれるかもしれないということです」

ここでサイキックがやっているのは、当たっていたか、ほぼ当たっていたように見える一つの部分だけに焦点を合わせ、それ以外は忘れるということに過ぎない。

もう少し洗練するなら、部分的に間違えたけれど、それは単に自分のサイキック・パワーを十分信頼していなかったからだとほのめかしておく。

〔例〕「その人はサイモンという名前なのですね。それで分かりました。私はそれに似た名前を口に出したかったのですが、その後でマイケルのような音の印象を持ってしまったのです。私はもっと最初の直感を信じるようにすべきですね。とはいえ、海外に拠点を持つお友達のことを感じ取ったわけで、興味深いのは……」

フォーカスの調整を使う場合、話し方や声のトーンをうまく使えば、あまりに高度な正確さを求めるのは不合理で、些細な間違いは重要でないと思わせることができる。けっきょくのところ、深遠なサイキックの能力は気まぐれな性質のもので、部分的に正確さに欠けるところがあっても受け入れなければならない、というわけだ。

たいていの相談者はリーディングの不正確な部分を見落とすか忘れるかして、的中したところだけを記憶するものだということも覚えておくといい。都合良く忘れて調子を合わせてくれることで、多くのサイキック・リーディングは大いに印象深いものとなる。

認識に関するリビジョン

二つ目のリビジョンは、サイキックは正しいが、相談者はすべての事実を知らないのでそのことに気づいていない、というストレートなものだ。

[例]「しばらく金銭の問題に目を向けましょう。最近、お金の問題か心配事で友達が近づいてきたと感じています。思い当たる人がいますか?」

——「いいえ。おっしゃったような人は思いつきません」

「でしたら、その方は自分の問題であなたを煩わせたくないと考えたのでしょう。あなたは思いやりがあって、おそらくずいぶん心配してくれるだろうから、言わない方が良いと感じたのです」

サイキックは基本的に、自分は正しいが相談者はそのことが分かる立場にいないと告げている。バリエーションとして、重大な情報を誰も知らないと示唆（しさ）するのも役に立つ。

［例］「この金銭問題が実際はまだ生じていない可能性もありますが、近いうちにその友達が見つけることになりそうです。いずれにしても助けを求められたら、あなたはきっと喜んで助言してあげるでしょう」

別のバリエーションは、たとえば恥ずかしいからといった理由があって、相談者に情報が届いていないと示唆するものだ。

［例］「実のところ、あなたの友達は少し恥ずかしいと感じている気がします。そんなふうに思う必要はないのですけど。そのせいで、この問題については黙っていようと決めたのかもしれません」

さらに別のバリエーションは、相談者の記憶違いか、そもそも状況を完全には把握していなかったと示唆するものだ。これを使えば、食い違いも完全に容認可能であるかのように聞こえてくる。

[例]「あなたが若かった頃、水に関わる事故があったように感じています。思い当たることがありますか?」

答えがイエスなら当たりだが、ノーなら次のように言う。

[例]「かなり前のことのように感じます。たぶん、まだ幼い頃のことだったのでしょう。あなたが覚えていないだけかもしれません」

認識に関するリビジョンは、相談者に自分は無知で愚かだと感じさせるような仕方で使ってはいけない。相談者が気づかなかったのも十分理解できるし、責められるべきものではなく、どんな形であれ困ったことにはならないと、サイキックは常にはっきり伝えるようにしている。

主観性に関するリビジョン

リビジョンは意見や価値判断を含む言明にも適用できる。つまり、はっきり見えないものに対しても有効ということだ。

一般的なパターンは常に変わらない。まずサイキックは仕事運や恋愛運など、相談者の人生の局面について肯定的な見方を表明する。相談者は受け入れず、現時点で(自分の人生において）実際の物事はそううまくいきそうにないと答える。なぜあなたがそう感じるかは分かる、とサイキックは応じ、見方を変えればいまの状況にも肯定できる面が確かにあると話す。

少し誇張しているが、その例をお目にかけよう。

[例]「仕事についてお話しすべきでしょう。いまはあなたにとって非常に肯定的な時期だという印象があります。キャリアを高められるでしょうし、目標に向かって前進するという明確な兆候が出ています」

――「そうでもないです。数週間前に、何も落ち度はなかったのに職を失いました。ほかには何も見通しはなく、これからどうしたらいいか、本当に分かりません」

「いまは厳しい光景しか目に入らないと感じておられるのはよく分かります。しかし、表面的には悪い状況に見えても、本当は幸運だったと明らかになるのはよくあることです。これらのカードが示唆しているのは、それなのかもしれません。あなたがいまこの位置にいるということは、人生をよく検討して評価しなおし、もとの仕事を続けていたら考えもしなかったような機会を探れるということを意味します。速いスピードで動いているときは、景色がブレて見落としが生じます。物事がはっきり見えるのは、立ち止まる機会が得られたときだけなのです」

このリビジョンを使うのは、否定的な感情から肯定的な感情に向かわせるときだけで、逆の方向では使用すべきでないことに注意してほしい。次の例を見よう。

[例]「人間関係ではこれまで成功していて、あなたは愛情深い良いパートナーですね」
――「そうでもないです。正直なところ、その方面ではあまり成功していません」
「なるほど。生涯続く愛をまだ見つけていないのかもしれません。でも私が言いたいのは、それではありません。『成功』と言ったのは、人間関係において常に誠実で、自分の価値観に忠実だったという意味です。あなたは人を大事に扱うためにベストを尽くしてきました。私が成功と呼びたいのはそのことで、正直で節操を貫くあなたは、時が満ちれば人間関係において大きな成功を手にするに違いありません」

この例では、人間関係で成功していると相談者が言ったのに対し、サイキックは主観性のリビジョンを用いている。相談者に別の見方をさせ、否定的な感情を肯定的なものに変えるのに手を貸したわけだ。

主観性のリビジョンはきわめて柔軟で、曖昧な判断が含まれるほぼどんな言明にでも適用できる。明らかに不正確な言明を立て直すのに良い方法であるだけでなく、相談者の気分や展望を高めるという効用もある。

時間に関するリビジョン

これはたぶん、リビジョンのうちで最も柔軟なものだろう。これを適用できない言明を想像するのは難しい。形式は単純だ。現在は正しくない言明だとしても、過去のどこかの時点では正しかった、あるいは未来のどこかの時点では正しくなる、と示唆する。簡単な例を見よう。

〔例〕「どういうわけか、ジェーンという名前が浮かびました。あなたの人生で重要な役割を果たす人なので、この名前を口に出すべきだというふうに。誰のことを言っているか分かりますか？」
——「いえ、分かりません」
「構いません。その名前か、よく似た名前の誰かが、過去のどこかの時点で重要だったと感じています。覚えておられなくてもいいのです。人生の旅路においては誰でもたくさんの人に出会いますから、全員を覚えているなど無理な話です」

この例のようにサイキックが過去に言及することにした場合でも、相談者がなおも受け入れず、「ジェーン」という名前の人が自分の人生で重要だったことはない、と言う可能性は理屈としてある。実際のリーディングでは起きそうもないが、安全策をとって、過去ではなく未来に言及することを好むコールド・リーダーもいる。それなら間違うおそれがないからだ。

[例]「近々、たぶん数週間のうちに、その名前の誰かが重要になるでしょう。注意しておいてくれますか？」

時間に関するリビジョンは想像以上に柔軟だ。形式はありふれた単純なもので、現在から過去か未来へ時制を変えるだけだ。しかし、選択肢はこれだけではない。サイキック世界での時間は流動的な概念であることを、コールド・リーダーは常にほのめかしているからだ。たとえば、未来に関する言明が間違っていた場合でも、次のようにして正しい形にねじ曲げることができる。

[例]「あなた自身か、あなたに近い誰かが、近い将来に転居するだろうということも見えています」

――「まあまあ当たっていますが、将来ではありません。実は一カ月前に転居したばかりです」

「まったく問題ありません。転居している様子が見えて、どういうわけか私は、近い将来に起きるのだと考えたのです。もちろん、過去は未来を生む源泉で、未来には過去の痕跡が残っています。サイキック世界での時間とは流動的な概念なのです」

メタファー（隠喩）のリビジョン

言葉が辞書に載っている通りの意味で普通に使われることは多い。しかし、比喩的、寓意的、詩的、象徴的、その他の文字通りでない使い方をすることもしばしばある。話を単純にするために、ここでは「メタファー（隠喩）」という用語を、文字通りでないコミュニケーションの方法すべてを指すものとして扱う。

メタファーのリビジョンには、文字通りの意味を別のものにずらすメタファー的な語句の理解が含まれる。よくあるパターンは次のようなものだ。

［例］「私が……○○（単語または句）と言ったとき、本当は……○○（わずかに異なる語句）というつもりだったのです」

さらに一般的なメタファーのリビジョンにおいては、事実というよりも感覚や感情のレベルで考えていたとサイキックは示唆する。

次の例は、アイルランド育ちでショートヘアの女性ジャーナリストに対して、私の友人が提供したリーディングだ。友人はその途中でこう述べた。

［例］「もっと若い頃、髪を長く伸ばしていましたね？」

――「いいえ、ずっとショートヘアでした。私の育ったところでは、髪を伸ばすことが許されていませんでした」

私の友人は素早く考えをめぐらせ、少女が長髪を厳しく禁じられていたら、おそらく髪を伸ばしたいという強い願望を抱くはずだと推測した。そこで友人は次のように言った。

〔例〕「それは分かります。私が言いたかったのは、髪を伸ばしたいと思ったでしょうということです」

相談者はその通りだと答え、先ほどの言明は的中したものとして受け入れられた。しかも単に外見だけでなく、心の中の深い願望まで明らかにしてしまう、見事な「サイキック感覚」の証左となってしまった。言明は事実ではなかったが、感情や感覚について言えば正しかったことになる。

別の例を見よう。

〔例〕「新たな教育のことがここに示されています。最近、資格試験の勉強をしたか、何かの講座を受けましたか？」

もしその通りなら的中だ。もし答えがノーで、何も学習したり、そうしたたぐいの活動をしたりしていなかった場合、サイキックはこう続ける。

[例]「教室でテキストを学ぶことだけが限りません。広い意味での教育ということなのです。なんと言っても、経験こそ最良の教師ではありませんか。私が感じたのは、最近のいくつかの経験から少しばかり学んだかもしれないということです。あなた自身について新しいことを知っただけかもしれないし、人生と人々の歩みについてかもしれません。言いたいこと、分かっていただけますか?」

次もまた別の例だ。

[例]「これらのカードは旅の時期を示しています。これから海外に出かける予定があるのか、あるいは海外から戻ったばかりなのかもしれません」

もしその通りなら的中だ。旅行はしていないし、その予定もないということなら、サイキックはこう続ける。

［例］「もちろんこれは、スーツケースとパスポートを持った旅とは限りません。旅にはいろいろな種類があるし、最大の旅と言えば人生ですよね。カードが示唆しているのは、あなたにとって旅のようなものと言える最近の出来事、ひょっとしたら何かを発見し理解する旅かもしれません。最近の出来事がたぶん、人生に対する新しい見方か、考え直す理由をあなたに与えたのでしょう」

つまるところメタファーによるリビジョンは、詩的なものに許される自由を十分に認めるなら、ほぼどんなものでも、ほかの何かを指すものとして理解できるということを利用している。文にもフレーズにも、特定の単語にも適用可能だ。たとえば、タロット・カードを使うリーディングを提供するサイキックが、相談者に姉妹がいるという言明をしたとしよう。

［例］「あなたの姉妹（シスター）が関係している金銭のやりとりが見えます」

自分に姉や妹はいないと相談者に否定されたら、サイキックはすぐにこう応じる。

［例］「それでいいのです。タロットではしばしば、『シスター』という言葉を近い関係の女性、よく知っている女性の意味で使うのです」

「シスター」という語の持っている（かもしれない）意味をこのように拡大することによって、的中（または、ほぼ的中）の可能性はずっと大きくなる。同様に、ホロスコープを解釈する占星術師はこんな言明をするかもしれない。

［例］「前の九月に戻りますと、このとき第五室(ハウス)にある冥王星の影響は、経済的に恵まれたこと、いくらかお金が入ってきたことを示唆しています」

相談者がこれを受け入れない場合、占星術師は次のようなリビジョンをスムーズに導入するだろう。

［例］「確かに私は『お金』と言いましたが、占星術では富を、純粋に金銭や銀行の口座残高と考えることはめったにありません。私が言いたかったのは、人生と目標の達成という広い意味での富のことでした」

示された時期に起きた良いことを相談者が少しでも思い出したなら、これもまた的中事例の一つということにしてしまえる。

交霊術者は特に解釈のリビジョンを使うことを好む。死者がどう感じ、どう考えているかを告げられるのは彼らだけなので、リーディングの成功を支えてくれるものならどんな説明でも解釈でも持ち出すことができる。よくある例は、霊界から呼び出された人と相談者との関係を、サイキックが間違えてしまった場合だ。

〔例〕「いま私とともにいる年配の方は、最近他界したばかりなので、あなたが交信しようとしてくれたことはよく理解できると言っています。この方はあなたのお父様ではないかと私は感じます」

ここで相談者が、父はまだ健在ですが、最近亡くなった兄弟がいます、と指摘するかもしれない。サイキックは「直接の質問」（一二四ページ参照）で、亡くなったのが相談者の兄であることを確認し、次のように言う。

〔例〕「ああ、それで分かりました。二人とも若かった頃、よくあなたの面倒を見る役目をさせられたと、その方は言いたかったのです。妹であるあなたに対して、まるで父親のような役目を引き受けていたのです」

これもまた、言葉の意味を自在に操るサイキックの勝利に終わる。その場その場の目的に合わせて、どんなふうにでも言葉を解釈できるのだ。この例の場合、故人が相談者より年長だったことは重要でない。相談者の弟が亡くなっていたとしても、次のように言うだけだ。

［例］「ああ、なるほど。これではっきりしてきました。混乱していたのは弟さんじゃなくて私の方だったのですね！　『父』という言葉が聞こえたので、すぐに飛びついてしまいました。自分はあなたの父親ではなく、あなたとは父親が同じだということを、私に説明しようとしていたのです。……それならつじつまが合いますよね？」

いつだって切り抜ける方法はある！

適用範囲に関するリビジョン

自分の言明は正しいが、パートナー、家族の一員、友人、職場の同僚など、相談者の知っている誰かのことかもしれない、とサイキックは示唆する。下手（へた）な言い訳に聞こえるかもしれないが、実はとても有効なリビジョンだ。例を挙げよう。

［例］「これらのカードは、最近、お金に関する何か重要なニュースがあったことを示しています。ひょっとすると、金銭問題が悩みの種になっているのかもしれません」

その通りなら的中だ。そうでない場合、サイキックは次のように言う。

［例］「かなりはっきりした印象ではあるのですが、ご自身に当てはまらないとすれば、あなたの知っている人か、近いところにいる人のことかもしれません。重要な金銭問題で悩んでいる誰かが近くにいて、近いうちにそのことをあなたに話したい気になってもおかしくありません」

もし相談者の知っている誰かが金銭問題に対処中か、近々そうなりそうだとしたら、的中ということになる。しかもサイキックの驚くべき能力が、相談者の家族や知り合いにまで及ぶという印象も与える。素晴らしい！

相談者に思い当たることが何もなくても、関係のある事実のすべてを知っているとは限らないと示唆することで、サイキックはやはり勝利を手にする（一七八ページ、「認識に関するリビジョン」を参照）。

例をもう一つ挙げておこう。

［例］「新しいロマンスの兆候がここに出ています。少なくとも、これらのカードが示唆するロマンティックな感情が、あなたにとってとても良い方向に進展する可能性があります」

――「いいえ、どういうことか分かりません。私はいまの関係にすっかり満足していて、新しい誰かなどいません」

「それで良いのです。あなたのロマンスの道をたどる旅が落ち着いて、良いパートナーを見つけたことは分かります。しかし最近になって、あなたの近くにいる誰か、仲の良い友達かときどき会う誰かに、恋愛面での変化が生じているのです。その人は近いうちにあなたと話したいと思うでしょう。注意しておいてください」

これは「適用範囲」のリビジョンに「時間」のリビジョンを組み合わせたものだ。

数量の大きさに関するリビジョン

このリビジョンは、時間、距離、年齢など、計量単位を含む言明ならどれにでも適用できる。正しい基準を用いて物事を正しく計れば、自分の言明は正しいとサイキックは示唆する。単純な例を見よう。

[例]「このジョアンナという人はあなたより年上ですね？」

――「いいえ、ずっと若いですよ」

「それでいいのです。実際の年齢は若いかもしれませんが、年齢についてはいろいろな考え方があります。その女性には円熟を感じています。そのために、あなたと同じくらいか、もっと年上であるかのように思う人もいるでしょう。普通なら年配の人を連想させるようなセンスや興味を持っているかもしれません。私はそう感じています」

このケースでは、年齢を数える通常の仕方から離れて、感情面の成熟やセンスや興味によって計る「年齢」に話を移している。数量とメタファーのリビジョンを組み合わせたと考えてもいい。次はまた別の例。

［例］「ロマンティックなつながりのあるその人は、あなたがかなり長くご存じの人ですね」
――「そうでもないでしょう。私たちが会ったのはごく最近です。急速に接近したのです」
「それでいいのです。『かなり長く』と言ったとき、私が感じていたのは、昨日とか今日の午後とかに出会ったわけではないということです。お互いを知る十分な時間がありました。数週間だけだったとしても、ある意味であなたは、この人に出会うまで長い間待っていたわけでしょう？　そういうことを私は感じたのです」

このリビジョンがあてにしているのは、数量の大きさが絶対的でなく相対的な場合がしばしばあるという事実だ。三週間は長い時間か？　一〇年に比べたらノーだが、一〇分に比べたらイエスだ。これは特に洗練されたリビジョンではないかもしれないが、サイキック・リーディングの多くの場面でとても役に立つ（相対性の問題について、あるとき米国の友人がこんなことを言った。米国人と英国人の違いは、米国人が一〇〇年を長いと考えるのに対して、英国人は一〇〇マイル〔約一六〇キロメートル〕のドライブは長いと考えることだ、と）。

リビジョンについての補足

七種類のよく使われるリビジョンについての説明を終えたところで、いくつか簡単に補足しておきたい。

まず、このリビジョンのリストは網羅的ではない。「間違った」ように見える言明を、正しいか、ほぼ正しく聞こえるものにする方法はほかにもある。しかし、これら七つのリビジョンは知っておくと非常に役に立つ。簡単に使えて効果も大きい。

第二に、これらのリビジョンは別々に使う必要はない。混ぜ合わせて使うこともできる。二つのリビジョンを混合して使った例は既にいくつか挙げた。

第三に、七つのリビジョンは、互いに異なるものとして厳密に定義されてはいない。定義は緩やかで、ある程度は重なり合う部分もある。また、この節で紹介した例のいくつかは、二、三種類のリビジョンの例として挙げることも可能だった。サイキックが能力を発揮する素晴らしい領域では、彼らが常に勝つことだけが大事なのだ。

ついでに触れておくと、私の「ビジネスのためのコールド・リーディング（CRFB）」システムでもリビジョンは重要な役割を担っている。CRFBについては後の章で簡単に説明する。

二つのコーダ（終結）

既に七種類のリビジョンを取り上げ、間違えた場合もサイキックがどうやって正しいことにしてしまうかを見てきた。不一致と否定的反応を乗り越える方法はまだ二つある。本質的にリーディングの一部を終わらせるものなので、私はこれらを「コーダ（終結）」と呼んでいる。

最初は「取り下げずに放置」というものだ。これはとても頼りになるコーダで、どんな否定的反応でもある程度帳消しにできる。ここには三つの段階がある。まず、サイキックは当初の言明を取り下げることなく、少なくとも部分的に同意を取り付けようと試みる。続いて、それがうまくいかなかった場合は困惑したふりをして、「不一致」の責任の一部を相談者に担わせようとする。最後に、時が経てば一致点が見つかるでしょうということにして、不一致はそのまま放置する。

典型的な例は、こんなふうに始まるものだ。

［例］「ジェーンという名前が浮かんできました。あなたにとってその名前が重要なのはなぜですか？」

――「分かりません。そういう人は知りません」

否定的反応だ。まずサイキックは、最初の言明にこだわってみせる。少し時間をかけて励ましてやれば、相談者がつながりを思いつくかもしれないからだ。言明を取り下げないもう一つの理由は、何かが一〇〇パーセント確かで確実だと言いたがらない相談者が多いからだ。サイキックがその場で持ち出したことについては特にそうなりやすい。しかし、不安をどうにかしたいというだけで何かのつながりに思い至ってもおかしくない。たとえば次のように。


［例］「確かですか？」

――「確かです。その名前の人は一人も思いつきません」

「それは絶対に正しいですか？」

――「それは……まったく思いつかないのです。本当ですよ」

「その名前の人はまったく知らないという確信があるのですね。一度も知り合ったことがないのですね」


相談者を追い詰めているように聞こえるかもしれないが、サイキックの態度と雰囲気しだいでは受け入れやすいものになる。十分に感じのいい話し方をしていれば、真実に到達したい、タロット・カード（その他リーディングに使用しているもの）が何を伝えようとしているのかを理解したい、それを純粋に願っているだけだと相手に感じさせることが可能だ。ラジオ番組でサイキックが（「即座に」結果を出さないといけないというプレッシャーのもとで）この種のアプローチをするのを何度も聞いたことがある。

こんなふうに問い詰められても意見を曲げない相談者はほとんどいない。たいていの場合は、少なくとも過去に知っていた誰かのことを見過ごしていた可能性があると認めるだろう。相談者があくまで知らないと言い張った場合も、サイキックは単に次の段階に進むだけだ。つまり、戸惑ったふりをして相談者にもその困惑を共有させようとする。ちなみに、言明と無理に一致させようとしないでほしいと告げるサイキックもいる。これは非常に誠実な態度と受け止めてもらえるからだ。

［例］「いいでしょう。私だってあなた以上に理解しているわけではありません。このジェーンという名前の印象が浮かんでいますが、あなたにとって何か意味があるにしてもないにしても、私には自分に見えたものをお話しすることしかできません。無理に話を合わせてほしいとお願いしているのではありません。それは意味のないことです。正直なところ、私が間違えることはそれほど多くないので、引き続き考えてみていただけませんか？　私は確かにつながりがあると感じているのですが、いまは思いつかないとおっしゃ

るので……」

最終的に「ジェーン」という名前の誰かを思い出したなら、相談者自身がすっかり忘れていた細かい事実を見通したということで、サイキックの株は大いに上がる。うまくいかなかった場合はそのまま忘れられ、サイキックは二度とこの話を持ち出さない。重要なのはリーディングのこの部分をきちんと終わらせることだ。そうすればサイキックは、誰か別の人についての話題へとこだわりなく移ることができる。

第二のコーダには負けを潔く認めることが含まれる。これは最終的な避難場所だ。すべてに失敗してしまった場合、サイキックは少なくとも次のように言うことができる。

【例】「間違いは間違いですから、謙虚に認めるしかありません。常に一〇〇パーセント正しければと思いますが、誰だってそうですよね。ともかく、次の分野に移りましょう。これから見ていくのは旅行についてです……」

このようにして、サイキックはそれ以上の失点を回避し、次へと進む。問題は後に残され、静かに忘れられていく。同時に、自分の正しさばかりを主張することのない謙虚で誠実な人という印象を与えることもできる。

***

第二章「コールド・リーディングの仕組み」の七つの節のうち、これまでに、「セットアップ」「主要なテーマ」「主要な要素」「ウィン＝ウィン・ゲーム」の四項目を説明した。次はコールド・リーディングの「プレゼンテーション」を取り上げる。

リーディングの仕組み

5／7——プレゼンテーションの方法

コールド・リーディングは語った内容がただ当たっていればいいというものではない。いかにうまくそれを提示するかということも、リーディングを成功させるのに大いに役立つ。この節では、プレゼンテーションの重要なポイントをいくつか取り上げて検討する。

フィードバックを促す

理屈の上では、サイキックがずっとしゃべって相談者はただ聞いているというサイキック・リーディングもあり得る。コールド・リーディングはこういう状況でも機能するし、実際、郵便でやりとりするリーディングではほかに方法がない。しかし、コールド・リーディングが最もうまくいくのは、相談者が大いに反応を返してくれる場合だ。このためサイキックは、リーディングが相互の対話になるよう、できる限りのことをしている。

この点に関して言えば、相談者の中にはフィードバックを促す必要のある人と、そうでない人がいる。サイキックの能力を堅く信じている相談者はとどまるところを知らないかのようにしゃべり続け、コールド・リーディングのプロセスを大いに助けてくれる傾向がある。しかし、それほど積極的に話してくれる相談者ばかりではない。引っ込み思案だったり、用心深かったり、控えめだったり、はっきりと疑っていたりする。こういう場合、サイキックは抵抗を打ち破る必要がある。そのためにはいろいろな方法があるが、かなり微妙なものも含まれている。

▼きっかけ作り

フィードバックを促すテクニックの一つは、相談者が反応するきっかけを会話の中に織り込むことだ。これについては「情報を引き出す要素」（一二四ページ参照）のところでいくつか取り上げた。

サイキックが聞き役にまわり、相談者が自由に話せるよう、たっぷりと時間を与えるのも役に立つ。相談者が自信なさげで、はっきりものを言えないタイプの場合もそうするのがいい。最初は控えめであまり話したがらないように見えても、優しく水を向けてやるとすごく饒舌（じょうぜつ）になる相談者もいる。

▼開かれた質問

またサイキックは、「閉じた」質問でなく「開かれた」質問をするように努めている。セールスや人間関係のスキルを学んだ人なら、この区別についてよく知っているはずだ。

閉じた質問とは、単に「はい／いいえ」あるいは「そうですね／そうじゃありません」と答えられる問いだが、これではやりとりを発展させられない。

開かれた質問にはこういう答えができず、答える側はさらに細かい情報を提供することになる。会話を発展させるには「開かれた」質問の方がずっと良い。次に示すのは単純な閉じた質問の例だ。

[例]「音楽に興味がありますか？」

相手は単に「はい」か「いいえ」で答えるかもしれない。会話の流れがなく、最初に質問した側が何か言うことを思いつかなければならなくなる。これに対して、開かれた質問は次のようになる。

[例]「ちょっと教えてください。どんな音楽がお好きですか？」

これだと聞かれた方は何か答え方を考えなくてはならず、「はい／いいえ」あるいは「そうですね／そうじゃありません」のレベルを超えて会話が進む。

▼アイ・コンタクト

サイキックが反応を引き出すために用いるもう一つのテクニックは、直接のアイ・コンタクトをうまく使うことだ。誰かとアイ・コンタクトを維持する場合、①相手に関心を持っているシグナルを送る、②相手の注意をとらえ、導く、③相手がこちらに注意を向けるよう促す、ということを同時にやっている。これら三つはすべて、相手にこちらを信頼して話しかけるよう促す要素だ。アイ・コンタクトを維持するといっても、相手を見据える(みすえる)のとは違う。相手をじろじろ見るのでは逆効果になる。

▼ボディ・ランゲージ

ボディ・ランゲージが「科学」と言えるかどうかについて、私は慎重な見方を既に示した(三六ページ参照)。しかしここでは万全を期して、理屈の上では関連性のあるボディ・ランゲージの要素をいくつか取り上げておこう。

一つは、相談者の話を聞くとき、サイキックが頭をかすかに右か左に傾けるというものだ。ボディ・ランゲージの理論によると、これは攻撃的／対決的でなく、協力的／承諾的な態度を示している。したがって、相談者に安心感を与え、リーディングの対決的な面を減少させることになる。

ボディ・ランゲージの領域にもう少し踏み込むと、サイキックは呼吸のパターンを相談者と一致させるようにすることがある。ラポール（信頼関係）を築いて互いが満足できる状態に持っていくのに、これは微妙だが効果的な方法だとされている。

また、サイキックは自分の姿勢や身体の向きを相談者に合わせ、「交差する」あるいは「相反する」ポジションにならないようにするというテクニックもある。

たとえば、あなたが誰かと話している場面を想像し、左右の肩を結ぶ直線を思い描いてほしい。相手についても同様の直線を考える。両者の直線が平行に近ければ、あなたはそれだけ相手に興味を抱き、共感しているように見える。もし両者の直線が離れていくか交差するようなら、逆の効果を及ぼす。

私自身、頭の傾きと身体の向きを試してみたが、効果がありそうに思えるとしか言えない。実際に効果があるかどうかは、ほかの人たちにお任せしよう。

ここまで、サイキックが相談者にフィードバックを促すいろいろな方法について見てきた。次に頭に浮かぶ疑問は、どんな種類のフィードバックを引き出したいかということだ。

▼フィードバックのタイプ

相談者の提供するフィードバックにはいろいろな種類がある。最も直接的なのはもちろん言葉によるものだ。サイキックは相談者の使う言葉の内容だけでなく、次のようなことにも注意を払う。

・強調／強勢
・声の調子／話し方

相談者が次のように簡単な答え方をしたとしよう。

[例]「それで完全に正しいと、私は言えません」(I wouldn't say that was entirely true.)

強調する単語を変えながら口に出して言ってみると、相談者が言いたいこと、そこからサイキックが読み取れる内容がずいぶん変わってくることに気づく〔以下、英語の例にほぼ対応する訳をつけたが、日本語では「強勢」だけでなく「抑揚」が重要な役割を果たすという点に留意してほしい〕。

・「それで完全に正しいと、私は言えません」(*I* wouldn't say that was entirely true.)
——ほかの人は違う見方をするかもしれない。

・「それで完全に正しいと、私は言えません」
(I wouldn't say *that* was entirely true.)
——ほかの部分は正しいように思える。

・「それで完全に正しいと、私は言えません」
(I wouldn't say that was *entirely* true.)
——どちらかと言えば正しい。

言葉の強さは比較的一定であっても、相談者の話し方から言葉自体と同じくらい、あるいはそれ以上のことを読み取れる場合もある。言葉の区切り方、話す速度、声の調子、自信を持って表現しているかどうかといった要素が、相談者の考えや感じ方について多くのことを伝えてくれる。優秀なサイキックはこうした手がかりすべてに注意を払っている。

重要なフィードバックになるものの二つ目は相談者の表情だ。表情を見ると、その人が考えていることの微妙な手がかりがいくつも得られるというのは、誰でも日常的に経験している。同様に、前後や左右にわずかに頭を動かす仕草も、かなり明確なシグナルを提供してくれている。

重要なフィードバックの三つ目は、耳をいじったり髪を手ですいたりする動作など、相談者の仕草や癖だ。コールド・リーディングの文献にはこのようなフィードバックの例がたくさん出ていて、特定の考えXと、特定の仕草Yとの関係について詳しく述べているものがある。しかしこの種の「分析」は、単なる幻想かミスリーディングな誇張でしかないと私は考えている。こういった密接な関係を示す例で、信頼できるものはきわめてまれにしかない。相談者が鼻を掻いたとすれば、それは正直に話していないというシグナルなのかもしれない。しかし、単に鼻がかゆかったという可能性もある。

たいていの相談者は自分の提供しているフィードバックにまったく気づいていない。私がBBCテレビでリーディングの実演をしたとき、相談者は後になって、私に何も情報を与えないように努めたと言った。しかし録画を見てみると、相談者はリーディングの間ほぼ途切れることなく、うなずいたり首を横に振ったりして、これ以上はないほどはっきり「はい」と「いいえ」を示してくれていた。

▼フィードバックの利用法

ここまでで、サイキックが相談者にフィードバックをするように仕向けていることと、フィードバックにさまざまな種類があることを説明した。では、こうしたフィードバックはリーディングにどう役立つのだろうか。

まず、相談者が最も興味を持っている「主要なテーマ」（五七ページ参照）がどれかを判断するのに役立つ。このことはリーディングのプロセスを説明がつかないもののように思わせる効果がある。仕事、人間関係、金銭問題、健康のどれが気がかりなのか、どうして分かったのだろうかと、相談者は不思議に思うことになる。

二番目に、自分が提示したことに相談者がどの程度まで同意しているか、していないかをサイキックが測る目安になる。大きなヒットがあればそれを自分の利益に結びつけ、はずれた場合はそっと脇へどけておくだけだ。

たぶん最も重要なのは、相談者が**言った**ことと実際に**感じている**こととの食い違いをはっきり把握するのに、さまざまな種類のフィードバックが役に立つという点だろう。これはコールド・リーディングの非常に価値のある面だと言っていい。相談者はしばしば、あまり正直でない反応を示す。本人がばつの悪いこと、微妙な問題だと考えていることが浮かび上がってくるときは特にそうだ。サイキックにとっては、これを察知できると非常に有用だ。

多くの相談者は、数々の驚くべき言明を自分はただ聞いていたのだと信じて、リーディングの場を後にする。実際には自分がさまざまな情報を提供し、フィードバックしていたことに、まるで気づくこともなく。

感覚の共有

プレゼンテーションのテクニックで、本当に優れたコールド・リーダーとそうでない者をはっきり隔てるものがあるとすれば、それは「感覚の共有」だ。このテクニックは、単に何かを言うのと実際にそれを感じること――あるいは少なくとも、感じているふりをすること――との違いに関係している。

これを使うときサイキックは、その場で説明している感情を自分も感じ、経験しているかのように振る舞う。相談者の不安について語るときは自分も同じ種類の不安を「感じて」いるかのように、恋愛面で相談者に最近嬉しいことがあったと述べるときは、同じ喜びを自分も「感じて」いるかのように演じる。

文字でこれを伝えようとしても限界があるが、例を挙げておこう。ここでは単純な「隣の芝生」（七五ページ参照）の要素が使われている。

［例］「どうやらこれらのカードは、葛藤と内心の嫌悪を告げているようです。あなたは都会の喧噪にかなりうまく適応していますが、広々とした空間や田園での暮らしに親しみを強く感じてもいて、いまの環境から抜け出す機会を求めていることがはっきり分かります。

あなたはそれをある程度まで真剣に考えたと私は感じます。朝、落ち葉のつもった小道を散歩することや、海岸から吹いてくる風を楽しむことを、何度も考えました。ふと気づくと、華やかな大都市の賑わいから離れて暮らしたらどんな感じだろうと考えている……これまでに何度か、そんなことがありました」

これはサイキックの語りの特徴をよく表している。しかしサイキックは、自分が語っている感情と経験にマッチする感覚的な印象を演じきることで、リーディングをさらに信頼できそうに見せることができる。

相談者の「内心の嫌悪」に言及するとき、サイキックは声と表情を使って、自分自身が同じ嫌悪を感じ、経験していることを示唆する。

「喧噪」という言葉を口にするときサイキックは、相談者を日々悩ませているけたたましい騒音（通りから聞こえてくる車やサイレンの音、一日中鳴り続ける電話の音など）に反応しているかのように、顔をゆがめるかもしれない。

「広々とした空間」について語るとき、たぶんサイキックは目を閉じて、アルプスの山の上できれいな空気を味わうかのように、深く息を吸い込むだろう。

「海岸から吹いてくる風」に言及するときは、海岸近くに移動して明るい朝の光とひんやりした空気を感じているように演じるだろう。

大げさに演じ、感情もあらわに派手に振る舞うのがいいと言っているのではない。このテクニックは、むしろ繊細で抑えた使い方をした方がずっと効果的でうまくいく。たとえ抑制的に使っても、リーディングに本物のサイキック能力が含まれているという感覚を大いに強化できる。

クリームの原則

コーヒーにクリームを入れるとき、最初は少しだけにしておいて、それから好みの分量まで加えていくのが賢明なやり方だ。最初からたっぷり入れすぎてしまうと、後で減らすことができない。

コールド・リーディングでも同じことが言える。サイキックはたいてい、最初は強い言明でなく、弱いものから提示する。その方がずっと安全なやり方だからだ。たとえば、いきなり次のように言うのは好ましくない。

[良くない例]「背中に大きな健康上の問題があります」

次の言い方の方がずっと良い。

[例]「ときどき、背中にわずかな不具合が起きると思うのですが、どうですか？」

このような慎重さによって、サイキックは二つのチャンスを手にする。もし最初の弱い言明が当たれば、それで的中したことになる。一方、最初の言明では強さが足りないことが相談者の反応で分かったときは、自分がずっと正しかったようなふりをしながら調整を行なう。たとえば、「背中にわずかな不具合」という言葉が生ぬるいと感じた相談者は、こんなことを言うかもしれない。

［相談者］「その言い方では穏やかすぎますね。背中の大きな手術を何度か受けて、今後もまだ受けることになるでしょうから」
［サイキック］「ええ、そのあたりに問題があるのは分かっていました。だからこそ、慎重な言い回しをしたかったのです。あなたが経験したのは良くないことなので、無遠慮なまねをしたくなかったのです」

ここでもサイキックの勝ちだ。強い言明を後で弱いものに変更するのは、いかにも自信がなさそうに聞こえる。よほどうまくやらないと、間違えたので引っ込めたと思われて信用してもらえなくなる。後で紹介する、私が初期の頃に出演したテレビ番組の例（二五九ページ参照）では、まさにこの失敗をしでかしている。このリーディングの初めの方で私は大胆で直接的すぎる言明をしてしまい、修正が難しくなったのだ。その後、経験を積んだ私は、この「クリームの原則（Cream Principle）」の効用を学び取った。

可能性への言及

サイキックは、事実として伝えるのでなく可能性について語っているのだということを強調する。なぜか。それだと間違うおそれがないからだ。

ちょっと考えてみればすぐ分かる。「あなたは非常に創造的な人です」と告げられると、相談者は当たったと思うかもしれないし、当たっていないと思うかもしれない。しかし、「あなたは非常に創造的になり得る人です」とか「あなたは創造的な面をもっと探求すべきです」とか言われると、真っ向から否定することはできない。

「……である」を「……かもしれない」に変えるための構文や表現は豊富にあって、サイキックは当然ながら熱意を傾けて、そのすべてを使いこなしている。たとえば、「細やかな褒め言葉」（六四ページ参照）の例で見てみよう。

［例］「あなたは人とうまくやっていくのが上手で、ラポール（信頼関係）を築く方法を心得ています」

これはかなり安全な褒め言葉で、自分は人づきあいがうまいと思っている人が多いから、あえて異を唱える相談者は少ないはずだ。しかし、相談者が自分に対して厳しく、めったにいないほど正直な人だった場合、サイキックの言葉に反対し、自分は人あたりが良くないと主張するかもしれない。こうした状況で、サイキックは次のような対処法のどれかを選ぶことができる。

［例］

・「あなたには人とうまくやっていける可能性があるのです。たとえまだ、その可能性をしっかりと認識していなくても」

・「あなたのチャートが示唆しているのは、人とうまくやっていける可能性がありそうだということです」

・「私の受ける印象は、あなたも人あしらいがうまくなっていいはずだというものです。もし、そういう面を発展させる機会が与えられたら、ということですが……」

・「あなたは人とうまくやっていけるはずです。もし自分ではそう思わないということなら、あなたの中にあるその可能性を何かが邪魔しているのです」

・「あなたは人とうまくやっていけるはずですが、あなたの性格のそういう面を発展させる機会を一度も与えられなかったのです」

これらの例はどれも、きらきら輝く素敵な性質を共通して持っている。それは、誤っているとはけっして立証できない、ということだ。たとえ相談者が疑っていても、真でないと証明する方法はない。どんなものであれ観察された単純な事実を取り上げ、それを可能性に言及する言葉でくるむことによって安全を確保するのは簡単だと、サイキックは知っている。

解釈の余地を残す

リーディングの間、相談者はサイキックが提供する以上の細部を聴き取っていることが多い。解釈の余地が多く残された言明を与えられた相談者は、しばしば心の中で細部を補い、自分の人生にもっと関係の深い内容に作り変える。サイキックはこの現象を理解して余白を残し、邪魔しないようにするだけでいい。

たぶんこれは、プレゼンテーションのテクニックにおける最も奇妙な面の一つだろう。何かを知っていると相談者に認めてもらえたとしても、実のところサイキックは何が評価の対象になったかを知らないのだ！　私自身が行なったリーディングから、一つ例を挙げよう。

[例]「二、三年前に少なくとも一度、恋愛関係の糸がもつれてしまったことがあると思います」

私はこの言葉を口にしたとき、何か相談者との関連性があるとしても、それがどういうものか知らなかった。幸いなことに、相談者は二、三秒考えて、この言明と関係づけられそうな出来事を思い出した。そのとき相談者が何を考えていたのか、現在に至るまで私にはまったく分からない。

相談者は「まさにその通り」のことが起きたと言って、その話はこれ以上したくないと付け加えた（このリーディングはテレビ番組用に録画されていた）。私としては相手の立場を考えて礼儀正しく振る舞う必要があったから、この話題に深入りしないことに同意した。実際、相手が何を考えているかまったく分からなかったから、そうするしかなかったのだけれど。テレビで実演するときはいつもそうしているように、後で私は自分の「サイキック」能力がどういうものか（まったくゼロだということ）を相手に打ち明けた。

相談者はリーディングの最中も、何が起きたかを後で話し合うときにも、この種の細部を自分で補っている。「曖昧（あいまい）な事実」（八二ページ参照）を使った単純な例を挙げておこう。

［例］「職場と関係があるかもしれない事態が進んでいるのが見えます」

これが次のような形で記憶されることもあり得る。

［相談者］「私が近いうちに仕事を変えるだろうとも言われたけど、これは当たっているわ。来月、新しい地域拠点を任されることになっているから」

自分のリーディングでも他人のリーディングでも、こういうことが起きるのを私は何度も見た。サイキックは、そうするように相談者を誘導する必要はない。ごく自然に起きるのだ。

フォーキング（分岐）

「フォーキング（forking　分岐）」とは、二つの異なる方向に展開できる言明を提示することを言う。最初の言明を相談者が受け入れた場合、サイキックはさらに装飾を加える。相談者が最初の言明を受け入れなかった場合は、もっと受け入れやすいものに変更する。このテクニックについては「バーナム・ステートメント」のところでも簡単に触れた（八〇ページ参照）。次の例を見てほしい。

［例］「あなたには、人に好かれ、賞賛されたいという強い欲望があり、自分の達成したことを認めてほしいと思っています」

相談者がこれに同意した場合、サイキックはこの方向でさらに展開し、もっと具体的なものにしていく。

［例］「ときとしてこの感覚、承認を求めるこの傾向が、少しばかり行き過ぎてしまうこと

があります。ときどき、他人の目に映る自分を褒めてもらいたい気持ちが少し鋭くなり過ぎていたでしょう。ほかの人たちがどう思うかよりも自分で達成したことにどこまで満足したかが大事なのだと、やがて分かるはずです」

相談者が同意しない場合、サイキックは方向を転換し、受け入れやすいものに変える必要がある。

［例］「しかしあなたは、この傾向を隠すようになりました。だから多くの人はあなたにそういう面があると気づかないでしょう。賞賛がどこか自分以外のところへ向けられても、あなたは文句をつけないことがよくあります。誰がどんな賞賛に値するか、言い争うのを避けるようになっています」

リーディングの対象がどんなタイプの人であろうと、サイキックはこのようにして、いつでも優位に立つことができる。

▼フォーキングと事実に関する言明

相手の性格を大まかに述べる言明についてなら、フォーキングが非常に有用なのは理解しやすい。この場合はサイキックが常に正しいか、ほぼ常に正しいことにできるからだ。しかしフォーキングは、事実について直接的な主張をするときにも役に立つ。次に示すのはありふれた例だ。

［例］「あなたはかつて犬を飼っていました」

相談者が同意すれば、かつて可愛がっていた犬についてさらに話を展開する。しかし、相談者が否定した場合はどうか。一度も犬を飼ったことがないときは？　この場合、サイキックは反対の方向にフォーキングを行なう。たとえば、次のように。

［例］「分かりました。実際に犬を飼っていたという意味でなく、飼おうと考えたことがあると感じたのです。それはあなたの頭の中のことですが、誰かとそれについて話し合っていました」

これは「ウィン＝ウィン・ゲーム」のところで取り上げた「メタファー」解釈のリビジョン（調整）だ（一八五ページ参照）。もう一つのオプションを次に示す。

［例］「ええ、特定の犬ということではないのでしょう。真っ先に頭に浮かんだのが犬だったのですが、あなたとご家族にとって大きな意味のあるペットがいたでしょう。まるで奪い合うようにして可愛がっていたはずです」

フォーキングの素晴らしいところは、何が起きているかまったく見えないことだ。相談者は、自分の反応が別のものだったらサイキックがどう言ったはずなのか知りようがない。これはフォーキングのきわめて有用な側面であり、強力に人を欺く側面でもある。

サイキックはすべての要素について、ずっとフォーキングを使い続けることはできない。むしろ、いくつか明らかなミスを犯してもそのままにしておく方がずっと効果的だ。相談者は一般に、そうしたミスをサイキックのプロセスにおける副産物と考え、大目に見てくれる傾向が強い。

親しみやすさを維持する

サイキックは、リーディングをくだけた調子に保ち、受け入れやすくしておくことの価値をよく知っている。この点については既に、私が「民衆の知恵」と呼んでいる要素との関連で取り上げた（一一三ページ参照）。

明らかにこれは個人的なスタイルの問題だが、一般にサイキックは自分のリーディングを、色彩豊かで楽しく、気軽に接することができるものにしようと努めている。相手に適した言葉を使って表現しようと気を配り、分かりやすい色彩豊かな語句を採り入れようとする。そうすることでリーディングの体験が受け入れやすく理解しやすいものになり、相談者の参加を促すことにもつながっていく。

よどみなくはっきりと

優れた俳優や司会者と同じようにサイキックも、たどたどしくならず、よどみなく滑らかに話すことの価値を理解している。そうすることで、①さまざまな要素を使ってみて、発展させる価値があるのはどれかをじっくり観察することが可能になり、②ミスや不同意があってもスムーズに先へ進むことができる。またこれは、リーディングの内容を吟味する時間を相談者にあまり与えないということも意味する。

サイキックはまた、すべての言葉をはっきり聞き取れるように話そうと努めている。もごもごした聞き取りにくい話し方は、コールド・リーディングにおいて何の役にも立たない。はっきりと話すことで、相談者は集中力と注意を維持しやすくなるし、サイキックの方も相手の反応を引き出しやすくなる。プレゼンテーションの方法としてごく簡単なことだが、コールド・リーディングだけでなく、ほかのどんな役割を演じる場合にも適用できる。

金ピカにして反復

これもプレゼンテーションの非常に重要な側面で、単に自分にとって有利になるように形をゆがめて、リーディングの一部を見直すというものだ。次の例を見てほしい。

[例]「幼い頃に、あなたはかなり大きな事故に遭ったと感じています。ひょっとすると水に関係する事故かもしれません。何か思い当たることがありますか?」

――「いいえ、ないですね。そういう方面でちょっとした出来事はありましたが、そのとき、そんなに幼かったわけじゃありません」

相談者はサイキックの言明を否定しているのだが、部分的に一致する出来事が過去にあったことをほのめかしてもいる。この点でリビジョン(調整)を行なうことが可能だ(一七五ページ、「ウィン=ウィン・ゲーム」参照)。同時にサイキックは、軽い調子で当初の言明からのフォーキング(分岐)(二一七ページ参照)を実行できる。

[例]「なるほど、いまより若かった頃に何かが起きたと。そこは同意できますね!」

――「ええ、もちろん……」

「それで、私が感じているのは事故か、病気かで、しばらくの間あなたは意気消沈するか、周囲の人たちを心配させたということです。これは本当に強い印象です」
——「ええ。私の考えているのがそれだとすれば、自動車事故でした。でも、事故の原因は私にありました。被害者じゃなかったのです。私はまだ十九歳で、運転経験が浅かったのです」

相談者は、サイキックが最初に提示した言葉とはほとんど関係のない事故について情報を提供した。サイキックはこの情報をもとに話を展開し、同時に「反復」を導入できる。

［例］「そうすると、私の感じたあなたが若い頃の自動車事故ですが、事故に遭ったことであなたは何かを学び、それをいまも大事にしているようだと感じ取ったのです。あなたは責任感について学び、自信を持つと同時に慎重さも必要だということを知りました。内面的な成長を遂げる上で、これは重要な部分となったように感じます。こんなに強い印象を受けた理由は、たぶんそれだったのでしょう」

反復するとき、サイキックは何年も前の自動車事故を感じ取ったと二度たたみかけている。実際には自動車事故のことは言わなかったし、十代の終わり頃という時期にも触れてはいなかった。しかし、後で相談者がリーディングのことを思い返し、ほかの人にその話をするとき、サイキックがこの事故のことを細部まで言い当てたような印象が残っていてもおかしくない。

▼素早い反復

「金ピカにして反復」という方法は多くのサイキック・リーディングに適用でき、瞬く間にやってのけることが可能だ。どういうことかを理解してもらうために、交霊術によるリーディングを想像してみてほしい。さらにこのサイキックは、「霊となって」現れた故人が相談者の親戚ではなく親しい友人だと、間違って推測したとする。サイキックはこんなふうに言うかもしれない。

[例]「ここに来ているのは、何年も前からあなたと親しい関係にある人です。一緒に楽しく過ごしたことが何度もありますね？」

——「ええと、もし私が思っている人だとしたら、それは父です」

「ああ、そういうことなら、間違いなく親しい関係でしたよね？ それだと筋が通りますね？」

——「ええ」

「そうだと思いました。お父様がおっしゃるには、休みの日に海岸の近くであなたと遊んだのを覚えている、と……」

サイキックは「何年も前からあなたと親しい関係にある人」から「お父様」へと素早く移行したが、これは相談者が誰の話かをはっきりさせた後のことだ。最初に口にした曖昧な表現（見方によっては、間違った表現）はそっと脇に置かれ、忘れられていく。相談者には自分が話す前にそれが父であることを、サイキックが正確につかんでいたような印象が残る。実際には起きなかったことだが、そういう形で記憶されるのだ。

リーディングの要約

経験豊富なサイキックはリーディングの終わりに、もし状況が許せば、それまでに語ったことを簡単に要約しようとする。ここにも、前項で取り上げた「金色ピカにして反復」する方法を別の形で適用するチャンスがある。サイキックはこの機会をとらえて、うまくヒットした部分を強調するとともに、あまりうまくいかなかった部分にも多少の磨きをかける。それがリーディングに関する相談者の記憶に影響を及ぼし、周囲の人に説明するときの話の内容も変わってくるはずだ。このことが、よく当たるという評判を築く材料の一部となる。

一般に相談者はリーディングの内容を正確に記憶していないというのが、この分野をよく研究している人たちの共通認識となっている。私自身が行なったリーディングについても、実際とはまったく異なる細かい説明を相談者が熱く語るのを見たことがある。

観衆の目にどう映るかを意識する

ここまでは相談者から見たときに効果的に映るリーディングにするための「プレゼンテーション」の方法について説明してきた。ここではもう一つ、相談者よりも脇で見ている人に狙いを定めた、プレゼンテーションのテクニックを紹介しよう。

企業主催のパーティや展示会などでサイキックは、周囲にいる人がそこで交わされている言葉を聞くことができなくても、何が行なわれているかは見えているという状況でリーディングをすることがある。こういう状況では、相談者が何度もうなずいてサイキックの言葉の一つ一つに同意を示しているのが分かると、まわりの人たちは感銘を受ける。その様子は、サイキックがその能力に基づいて貴重な知恵を授けているかのような印象を与えるのだ。

しかし、同意を示すような相談者のよく目立つ動作は、リーディングの内容と何の関係もないかもしれない。サイキックはただ、リーディングの中にうなずく動作を引き出すきっかけをちりばめているだけかもしれない。たとえば、「私の言っていることが聞こえますか?」「はっきり聞こえていますか?」「言っていることが分かりますか?」といった問いかけだ。

サイキックにとって、聞き取りやすい声ではっきり話すことがいかに大事かは既に述べた（二二一ページ参照）が、比較的穏やかな調子で、秘密めいた話し方をすることもできる。そういう話し方で、うなずく動作を引き出すきっかけをたくさん与えれば、相談者はまるでヨーヨーの動きを目で追っているかのように、しきりにうなずいてくれるはずだ。少し離れたところからだと、サイキックの口からキラキラした真実の言葉がこぼれだし、相談者に感銘を与えているように見える。それはこの商売にとって願ってもないことだ。

＊＊＊

「プレゼンテーション」については以上だ。この後は、これまでに取り上げたさまざまな方法やテクニックをまとめて、一つのリーディングに仕上げる方法を説明する。

リーディングの仕組み　6／7――すべてをまとめる

サイキックの道具箱

経験豊富な大工は、たいていの状況に対応できるよう質の良い道具を揃えている。道具や装備がたくさんあれば、それだけこなせる仕事の幅が広くなる。その中には、とりわけ信頼し、頼りにしている道具もあるだろう。そうした好みは個人の仕事のスタイルを反映している。

サイキック・リーディングの場合も同じだ。これまで見てきたテクニックや要素はリーディングを組み立てるのに使う道具で、いわば「サイキックの道具箱」の中に収められている。す
べての
リーディングに
全部の
道具を使うのは意味がなく、誰かがそんなやり方をするところなど想像もつかない。サイキックがなすべきは、それぞれの相談者にふさわしいリーディングを「構築する」ために、正しいタイミングで正しい道具を使うことだけだ。使いこなした道具が

多ければ、サイキックはそれだけ柔軟に対応でき、感銘と満足を与えられる相談者の数も増えることになる。

最初に強調すべきポイントは、「すべてをまとめる」ことがかなりの程度まで個人のスタイルに関わっていて、個々のサイキックごとに大きく変わるということだ。同じ人でも、そのときそのときでリーディングの方法を変える可能性があるから、連続してリーディングを受けても「感触」や調子がわずかに異なることも起こり得る。リーディングはベルトコンベアで組み立てるようなものではなく、パフォーマンスと考える方が良いので、完全に同じリーディングは二度とない。

即興に近いもの

「すべてをまとめる」作業のかなりの部分は即興的でもある。リーディングを始めるまで、サイキックは自分がどんなことを話すかおぼろげにしか分かっていないかもしれない。しかし、これは問題にならない。自在に使えるテクニックと要素が豊富に用意されていれば、どんな相談者が来てもうまく対処できるはずだ。

それでも、完全に即興といえるリーディングはごくわずかしかない。コールド・リーダーはみな、長い経験の中で気に入って使うようになった要素や言明をそれぞれいくつか持っていて、ほかのもの以上によく使う傾向がある。もちろん、そんなことは特定の相談者には分からない。

長い期間、同じサイキックに何度もリーディングをしてもらって初めて分かってくることだ。

共通の五段階

個人のスタイルごとにリーディングが異なり、たいていは台本なしの即興だとすれば、「すべてをまとめて」サイキック・リーディングを構成する方法も一つではない。しかし、一対一で行なう普通のリーディングの大多数は、どれも次の五段階を踏んで進められていく。

- ・セットアップで警戒心を解く
- ・滑り出し
- ・橋渡し
- ・拡張
- ・きれいな締めくくり

以下、それぞれについて説明し、各段階がどのように関係し合うかを見ていこう。

▼セットアップで警戒心を解く

まずサイキックは、自分のスタイルとリーディングの文脈に適した「セットアップ」のテクニックを使う（四五ページ参照）。また、相談者が敵対的だったり懐疑的だったりするなど、起こり得る問題に注意を払い、影響が大きくならないようにしなければならない。

相談者が不安になっているようなら、もちろんリラックスさせることが重要だ。気づかいを示しながら質問して不安に思う理由を確かめるかもしれない。これはリーディングの成功につながるだけでなく、リーディングの進むべき方向を知るための良い手がかりにもなる。どんな答えが返ってきたとしても、サイキックは適切な言葉をかけて相談者を安心させるだろう。

たとえば、「良くないこと」(死や災害)や闇の中にある個人的な秘密がリーディングで明らかにされるのではないか、と慎重になっている相談者は多い。そういう場合にサイキックは、自分が焦点を合わせるのは常に良いこと、人生の肯定的な傾向だと言って、相手を安心させようとする。「秘密」には興味がなく、タロット・カード(あるいはその他の手段)で、読み取るつもりがないことまで明らかになることはない、と話すかもしれない。

相談者が懐疑的になっている場合は、リーディングの信念体系なんてそれほど大層なものではないという姿勢を見せ、平易で合理的な言葉でリーディングについて話すかもしれない。たとえば、リーディングは心理的傾向と元型(アーキタイプ)を探るのに近いと言ってみたり、ここで使う道具(タロット・カードやホロスコープなど)は目的のための手段にすぎない、と説明したりする。相談者の懐疑的な構えを和らげ、疑いを減少させるのに役立つと思うなら、何を言っても構わない。

▼滑り出し

続いて、いよいよリーディングの開始となる。スムーズに滑り出すことが重要なので、最初から純粋に即興で進めるサイキックは少ない。たいていのサイキックは、長年の経験でうまくいくと分かっていて安心して使えるフレーズや、時間をかけて磨き上げた導入の枠組みを持っている。開始時に有効性が分かっているこうした道具立てを使うことによって、この道の経験が豊富で、熟練していて、そして何よりも大事なことだが、自信に満ちているように聞こえる語り口を演出できる。

自信に満ちた態度の重要性は、サイキック・リーディングに限ったことではなく、どんな種類のパフォーマンスでも変わらない。ステージ上の演者が自信たっぷりに見え、話し方もしっかりしていれば、観客はすぐにそれを察知する。演者が自分のやっていることをちゃんと心得ていると分かれば、観客はたちまちリラックスする。リラックスすれば簡単に、熱狂的な反応を返してくれるようになる。曲が終わるたびに大いに喝采し、どのジョークにもよく笑ってくれる。演者は協力的な雰囲気を感じ取って、うまくいきそうだと思う。演者の側もリラックスでき、観客の反応の良さに刺激を受けて素晴らしいパフォーマンスをする。パフォーマンスがうまくいけば、観客はさらに盛り上がる……という具合に好循環が起こる。

自信のなさにも感染力があって、ちょうど逆の効果を及ぼす。ステージに立った演者が緊張していて準備不足に見えると、観客もすぐに緊張し（あるいは退屈し）、「これはうまくいきそうにないな」と考える。緊張しているから反応も良くない。拍手は少なく、笑い声も引きつっている。雰囲気の悪さと反応の鈍さを感じ取った演者は、これはまずいと思ってもっと緊張する。パフォーマンスがさらに低下し、観客の気分はますます落ち込む……という具合に悪循環が起こる。

だからこそ、コールド・リーディングも含め、どんな種類のパフォーマンスにも自信あふれる態度が決定的に重要になる。残念ながら、必要だからというだけで自信が持てるはずもなく、あらゆる演者やエンターテイナーは時間をかけて経験を重ねるしかない。

リーディングを開始する良い方法は、何か口実を見つけて時をさかのぼり、相談者の若い頃の話から始めるというものだ。リーディングの文脈に多少なりと合っていれば、たいていどんな口実でもいい。そうやって始めた後の数分間は、サイキックの好きな「曖昧（あいまい）な事実」（八二ページ参照）や「幼時の記憶」（一〇九ページ参照）など、型通りの言葉を部分的に使ってつないでいく。とはいえ、これは理想的な滑り出しの一つでしかない。「情報を引き出す要素」のところで述べたように、考えていることを相談者に説明してもらうか、リーディングで重点的に取り上げてほしい分野を言ってもらうやり方（「直接の質問」、一二四ページ参照）も非常に好まれている。

▼橋渡し

次にサイキックがしなければならないのは、リーディングの導入部（即興は部分的）から主要部（ほぼすべてが即興）へと橋渡しする方法を見つけることだ。この点については主な目標が二つある。一つは、「主要なテーマ」（五七ページ参照）を個別に試し、相談者にとってどれがいちばん大事らしいかを見ること（まだ分かっていない場合）。もう一つは、二つか三つの要素を織り交ぜて情報を引き出すことだ（そのときまでに情報が得られていない場合）。

どのテーマを主に展開すべきかをはっきりさせるのが重要なのは言うまでもない。多くの相談者は、何か具体的な問題への助けやアドバイスが欲しくてリーディングを受けにくる。サイキックが正しい場所に焦点を合わせられれば、良い印象を与えることができる。逆に、相談者にとって興味の薄い問題を長々と取り上げたら、当然ながら相手をがっかりさせてしまう。

情報を引き出すという点で特に有効な要素は、「ベールをかけた質問」（一一八ページ参照）と「専門語のたたみかけ」（一三六ページ参照）の二つだ。

▼拡張

どれでも好きな要素を使ってリーディングの主要部を組み立てる用意がこれで整った。強調すべきテーマは分かっているし、少なくとも一つか二つ、うまく利用できる断片的な情報も引き出した。運が良ければ相談者を、リーディングのプロセスに協力してこのゲームの間違いなく奇妙なルールを受け入れるよう、うまく条件づけることにも既に成功しているはずだ。

この点について言えば、サイキックはどれでも自分が使いたい要素、いちばん自信を持って使える要素だけを取り上げればいい。たとえば、「虹色の戦略」（六〇ページ参照）と「隣の芝生」（七五ページ参照）を好んで使うかもしれないし、「曖昧な事実」（八二ページ参照）や「確率の高い推測」（九〇ページ参照）により、具体的な名前や数字など、強い印象を与えそうな細かい部分でヒットを狙うこともできる。うまくいけばサイキック能力が本物に見えるし、たとえ間違えても、既に述べた七つのリビジョンのどれかを使って立て直すだけだ。

リーディングの進行とともに、サイキックは相談者からのフィードバックを受け続ける。これはもちろんリーディングの方向に大きく影響する。サイキックはいつでも、相談者からさらに情報を引き出し、リーディングをいちばんいい方向に進める手がかりにできる。ここで利用できそうなのは、「ロシアの人形」（一四七ページ参照）と「専門語のたたみかけ」（一三六ページ参照）だ。

リーディングを進めながら即興で組み立てていくというのは、かなり危うく不安定に聞こえるかもしれない。しかし、相談者がリーディングを受けるのはごくたまにだけれど、サイキックは常にリーディングを実行しているということを念頭に置いてもらうといい。したがって、どのリーディングにおいても経験を積み準備が整っているのは、すべてサイキックの側ということになる。これはサイキックのゲームであり、サイキックのルールで進むゲームなのだ。

リーディングの特定の部分がうまくいかなくても、いつでもそこをカットして別の話題に移れることをサイキックは知っている。相談者が頑(かたく)なになったり気詰まりな思いをしていたりすると、サイキックはすぐにそれを察知して効果的に対処できる。

▼きれいな締めくくり

予想できるだろうが、未来についての予言はリーディングの終盤に持ってくるのが普通だ。サイキックは皆、「ポリアンナの真珠」（一五六ページ参照）、「確実な予言」（一五七ページ参照）、「曖昧な予言」（一六六ページ参照）など、自分が気に入っている要素を使って未来を語る必要がある。リーディングの最終段階では、それまでに述べたことすべてを、前に説明したように偏りのあるやり方で要約し（「リーディングの要約」、二二五ページ参照）、今後のご多幸をお祈りしますと述べて別れを告げる。

リーディングの中身は、ほぼ以上のようなことに尽きる。また一つリーディングが終わり、また一人、相談者が満足して帰っていく。

＊＊＊

以上、コールド・リーディングがどう機能するかを、スタートから締めくくりまで詳しく説明した。次の節では、相談者が（ごくまれにだが）はっきりと懐疑的な態度に終始する場合、どうやって対処するかを見ていこう。

リーディングの仕組み

7/7——懐疑的な相手への対処法

サイキック・リーディングを受けにくる相談者の大多数は、サイキックが依って立つ体系を信じる傾向があるか、特に意見を持っていない人だ。したがって、サイキックが自分の能力や自分の提供するリーディングの妥当性を「証明」する必要はほとんどない。選ぶのは相談者自身だからだ。信奉者は近づいてくるし、懐疑派は近寄らない。

しかし、懐疑的な心の構えを持った相談者がたまに来ることもある。対処法はたくさんあるので、特に問題とはならない。以下、懐疑的な人に対する効果的な対応の仕方をいくつか紹介しておこう。

何も主張しない

最初に試みることの一つは、懐疑的な相手の敵対心を和(やわ)らげることだ。そのために良い方法は、自分は何も主張しないし、何かを信じさせようともしないと告げることだ。そもそも何も主張されていないなら論破しようがない。この方向でよく使われる表現は、たとえば次のようなものだ。

［例］「私自身はタロット占い（あるいは占星術など）に効果があると主張するつもりはあ

りません。私に言えるのは、人生の見通しを良くするのにそれが役立つと言う方が大勢いるということだけです。われわれの誰もが何らかの形で影響を受ける人生のサイクルやテーマを、広く見渡して評価できる窓が開かれるかもしれないと。本当にそれだけなのです。私があなたにお願いしたいのは、開かれた心を持ってリーディングを楽しみ、あなたの役に立つかどうかを見てほしい、ということだけです」

このような方向で最初に話しておくことは、懐疑的な批判を和らげるのに有効な方法の一つだ。何も約束していない以上、約束を守れないということも起こらない。また、リーディングに使う特定の手法についても何も約束していない。真実が明らかになるとも、問題を解決できるとも、何かを証明できるとも言っていない。どういう結果になればリーディングが成功したと言えるのか何も定義していないので、結果にかかわらず、リーディングが失敗したとも言えないわけだ。

一つの産業として考えると、サイキックが顧客と交わす「請負契約」は、サイキックにとってこの上なく有利にできている。それは、「代金をいただきますが、それと引き換えに何を提供するかは約束できません」というものだ。とんでもないことだと批判するのはたやすいが、「価値」はとても流動的で主観的な概念だ。われわれは皆、自分の時間とお金を何に費やすかを自分で決めている。サイキック・リーディングから何かを得る人、何か得られると信じている人は、ほかの誰もが距離を置いても、おそらくサイキックへの支払いを続けるだろう。

用心深さを称える

敵対心を和らげるのに良い別の方法は、相談者の用心深さを称え、懐疑的な姿勢の承認を表明することだ。多くのサイキックは、もともと自分も懐疑的な考えを持っていて、実際に当たると分かるまでは占星術（タロット占い／手相術／内臓占い〔動物の肝臓などを使う占い〕）を受け入れられなかったという話をしたがる。たとえば占星術師の場合、次のように言うかもしれない。

〔例〕「あなたにはある程度の健全な懐疑精神を感じます。それは本当に素晴らしいことだと思います。本当です。私以上に疑り深い人間などいません。昨今は怪しいことだらけじゃないですか。

ただ、一つ言わせてください。私が占星術を始めたのは、実際に当たるということを自分で発見したからです。本当に役に立つのです。相談者の方々もそうおっしゃっています。これはとりわけ古くから使われてきた知識体系で、ある意味ではあなたのように非常に合理的な人こそ、ほかの誰よりも得るところが大きいのです。というわけなので、そろそろ始めましょう……」

こうしてリーディングが始まる。こうした前口上を採り入れても効果があるとは限らないが、害にならないのは確かだ。少なくとも、ある程度のラポール（信頼関係）を築くきっかけにはなる。

「シュガー・ランプ」を与える

「性格に関する要素」のところで「シュガー・ランプ」について説明した（七〇ページ参照）。サイキックの体系が提供するものを信じてくれたお返しに、相談者が心地良く感じる展望を語るというものだ。この種の言明は、懐疑的な態度を和らげる目的でも使うことができる。

「シュガー・ランプ」のことを初めて知ったとき、私はこれを受け取る側にいた。あるときサイキック・フェアに参加して、興味本位でタロット・リーディングを受けてみたら、サイキックの世界が提供する「温かさと、愛と、導き」を「心と頭を開いて」受け入れてほしいと懇願されたのだった。また、サイキックによる洞察は私が人生の目標を達成する助けになるので、「実際に役立つ」この力をぜひ活用してほしいとも言われた。つまり、すべてに対してオープンになれば温かさと愛と洞察が得られる、という取引だ。多くの人にとってこれはかなり魅力的な提案かもしれないと想像できる。

私の人生は幸いにもたくさんの愛と温かさに満ちているが、その源泉となったのは、サイキック・リーディングよりもっと素晴らしい数々のものだったと思っている。パリっ子が言うように、「好みは人それぞれ（Chacun à son goût）」だ。

諦める

単に諦めるというのは、捨て鉢になった哀れな戦術のように聞こえるかもしれないが、サイキックの業界では完全に筋の通った一手だ。しかも、途中で打ち切ってもまったく面目を失わずに済むやり方がある。

すべてが失敗に終わり、どうもうまくいかないと感じたとき、サイキックの採り得る最も簡単な方策は、リーディングを中止して代金を返し、次の相談者を呼び入れることだ。たとえば、こんなふうに。

［例］「私には自分が感じたことしかお伝えできません。あなたは、タロット・カードが告げていることを受け入れて、あなたも私もリーディングの時間を有効に使えるようにしようという姿勢が十分でないように感じます。残念ですが、私はあなたにふさわしいリーダーではないようですね。ここまでにしておきましょう」

ラポール（信頼関係）の欠如を問題にする別の例を挙げよう。

［例］「率直に申し上げますが、リーディングの成功には、私自身と相談者の方とのラポール（信頼関係）が大きく関わってきます。残念ながら、あなたとは正しいラポールを築けないように感じます。あなた個人を批判するわけではありませんが、わざわざ時間をかけて直感を働かせても、それだけの価値のあるリーディングを提供できるとは思えないのです」

さらに対決姿勢を鮮明にしたアプローチとして、懐疑的な態度そのものがサイキック能力を発揮する妨げになっていると示唆（しさ）する方法がある。

［例］「リーディングはこれで終わりにしたいと思います。あなたは自分が非常に懐疑的だと明言されました。それはあなたのご自由ですが、正直なところ、その懐疑的な姿勢のせいで効果的なリーディングができなくなっているように感じます。私のようなサイキックの繊細な感覚は習得するのに何年もかかるのですが、あなたは共感を持っていただけないようですね。そのために、あなたに手を差し伸べようとしても、そのための重要なチャネルがブロックされてしまうのです。申し訳ありませんが、リーディングは終わりです」

どのアプローチでも、サイキックは損害を大きくせずにリーディングを切り上げ、次へと進むことができる。

***

第2章では、コールド・リーディングの仕組みと、いろいろな要素を柔軟に適用するテクニックについて説明した。第3章では私が実際に行なったリーディングの例をお目にかける。

ただ、その前に少し息抜きをしよう。

Column

幕の合間に（1）「これをどう説明する？」

証言が確証しようとする事実よりも、その証言が虚偽であることの方がもっと奇跡的だ、といった種類の証言でない限り、いかなる証言も、ある奇跡についての十分な確証とはならない。

——デヴィッド・ヒューム〔一七一一―一七七六　懐疑論の立場をとったスコットランドの哲学者〕

繰り返される問い

先日、友人たちと一緒にいたとき、その中の一人が前に経験したサイキック・リーディングのことを私に話した。こういうことはよくある。普段、私が話題にしたいのは、ジャクリーン・ビセット〔一九四四―　英国の女優〕や、素晴らしいギター音楽や、ロンドンで本当に旨いファヒータ〔牛肉や鶏肉を使うメキシコ料理〕を出す店が見つからないといった重要なことだ。しかし残念なことに、友人たちはこうした話題にあまり興味がなく、私の活動をよく知っているので、サイキックに関わる話をしばしば持ち出してくる。

仕事に関係する面倒な問題として、これなどはまだマシな方だ。それに、サイキック・パワーの話は面白くて興味をそそられるということを私は喜んで認める。それでも、こういう場面になるといつも、私はたじろいでしまう。理由は二つある。

まず、こういう話はたいてい、前に聞かされたのと非常に似通っているということ。もう一つの理由は、話の締めくくりにいつも同じ言葉が出てくることだ。ここにそのことを書いておきたい。

私の友人は一年前にあるサイキックに会ったという話をした。その年の休暇の計画をまだ立てていない、早い時期だったという。リーディングの中でサイキックは友人に、十月に休暇をとって出かけると告げた。実際、十月になると友人は休暇をとった。友人にとってそれは、不思議なサイキック能力を証明する事実だった。話を終えた後、友人は飲み物で口をうるおし、私にこう言った。「これをどう説明する？」

そらきた。例の質問だ。こいつがやってくるのは遠くからでも分かる。その姿を見ると、私はいつも心の中でうめく。その理由をお話ししよう。

私にとっての「批判的思考」

そもそも私は「物事を説明する」ことにほとんど興味がない。私にとって批判的思考とは、突き詰めるなら「私は本当のことを信じたいし、本当でないことを信じるのは避けたい」ということだ。われわれは皆、後になって正しくなかったと分かることを信じてしまいやすいし、人生はそのように仕向ける誘惑や機会で満ちている。幸いなことに、正しくないことを信じ込む危険を減らす良い方法がある。良い質問をするというのが一つ。いろいろな物事について知識を仕入れておくというのも一つ。良い推論と良くない推論について学ぶのも一つの方法だ。

私は自分のことを「懐疑主義者」だと思っていないが、こうした方法を学んで日常生活に適用しようと努めてきた。そういうふうにしていると、退屈で生気のない日々が消し飛んでいく。わくわくするし、熱くなれるし、楽しく過ごせるのだ。つまり、この方法を身につけなかったならおそらく犯したに違いない、数々のつまらない過ちを回避できたということだ。これは私にとって良いことだと思う。

「回想」の正確さを損なうもの

物事を「説明」してみよと迫られる状況を詳しく検討してみるのもいい。誰でも同じだろうが、私が何かを説明できるのは事実をつかんでいる場合だけだ。バーで一杯やりながら話すのは事実を集めたものではない。それは回想にすぎず、つまり一つの見方を述べているだけだ。実際に起きたと誰かが考えていることについて印象を語っているわけだ。もちろん私の友人は、リーディングの間に何が起き、何が語られたか、正確に知っていると確信していた。しかし残念ながら、その自信にはおそらく根拠がない。

何かを回想するとき、四つの種類の汚染が原因で正確さが損なわれることが多い。一般に次のようなことが言える。

- 人は物事を**正確に観察するのが得意でない**。
- うまく観察したわずかばかりのことも、**正確に記憶するのが得意でない**。
- うまく記憶したわずかばかりのことも、他人に**正確に説明するのが得意でない**。
- うまく説明できるわずかばかりのことも、大幅に**単純化する傾向がある**。

これを疑うなら、こうした分野で実際に行なわれた学問的研究をひもといてみればいい。どの研究も同じことを指摘している。つまり、過去の経験を正確に説明するわれわれの能力はどうしようもないほどひどい、ということだ。だからこそ、司法機関で働いている人なら誰でも、目撃証言は（役に立つことも多いけれど）きわめて信頼性が低いということをよく知っている。

研究論文まで調べるのはちょっと、という人は、友人や家族を対象にちょっとした実験をしてみればいい。テレビの連続ドラマを見終わった直後に、オープニングで流れた文句を思い出してみて、と言われたら、ほとんど何も答えられないはずだ。一〇分ほど面と向かって話していた友達に、目を閉じて、私が着ている服はどういうものか説明してほしいと言っても、細部まで思い出せる人はほとんどいない（男性より女性の方がいくらかマシだろうけれど）。

自分の腕時計の文字盤がアラビア数字（1、2、3）か、それともローマ数字（Ⅰ、Ⅱ、Ⅲ）

かを自信を持って答えられない人も多い。自国の硬貨や切手に描かれている人物が右向きか左向きか、ということさえはっきりとは分からない。自分の部屋の壁にかけて毎日見ている絵は、どんな絵柄か説明してほしいと頼んでみてもいい。たぶん答えられない。そしてほとんどの人は、この段落の書き出しがどういう言葉だったかも思い出せないはずだ（カンニング禁止！）。

　思い出せなくても不名誉ではない。たいていの人は正確に想起する能力を持たないが、それは必要がないからだ。人生はただでさえ複雑だから、細かいことは何とかやっていける程度に知っていれば十分だ。私はそうしているし、あなたもたぶんそうだろう。

　人の記憶が当てにならないのは問題ではない。問題になるのは、当てにならないという自覚がない場合だ。自分は何かを非常によく覚えていると頑固に主張する人はたいてい間違っていて、やっかいな問題をたくさん引き起こしてしまう。

　人間関係においては、過去に交わした言葉についての諍い（いさか）のもとになる（「私が言ったのはそうじゃない！」症候群）。司法関係では、間違った目撃証言を生むおそれがある。それ以外でも、いろいろな方面で問題を生み、不和や混乱や困難のもとになる。自分では確かに起きたと考えていることも、実際に起きたことと大きく食い違っている可能性があると人々が十分承知していれば、こうした問題はすべて解消するだろう。この点は、懐疑的な人でもそうでない人の場合でもほとんど変わりがない。ただ、懐疑的な人の方がこの事実に気づいている可能性は高い（あるいは、少なくとも気づくべき）というだけだ。

訓練を受けた観察者

一部の事例で、この目撃者は優れた観察者になる専門的な訓練を受けた人だから、平均的な人よりも信頼できると、超常現象の擁護者はときとして主張する。これは正しいかもしれないが、それもある程度までだ。

自分の専門分野で優れた観察力を示す人がいても、その領域外で同じように観察力を発揮できるとは限らない。医師は患者とその症状を観察する能力を高める訓練を受けている。警察官は犯罪の現場を正確に観察する訓練を受けている。しかしこうした人たちも、別の文脈では平均的な人以上に正確な観察ができるわけではない。つまり、あまり正確でないということだ。

録音されたリーディング

最近では、サイキック・リーディングで何が行なわれたかを録音する相談者も多い（いくらか追加料金を取って録音サービスを提供するサイキックも少なくない）。しかし、録音しても何かが明らかになるというより、問題が別のところに移るだけだ。相談者がリーディングを録音して持っていても、友人にその話をするとき、どこまで正確に思い出して説明できるだろう？　よく分からないが、録音データを集めたところで、ほかの種類の証言と同じく、知覚、認知、回想の欠陥は免れそうもない。

また、前もって得た情報、視覚的な手がかり、相談者の非言語的なフィードバックなど、ほかのさまざまな要素がリーディングに含まれていたとしても、それは録音では伝わらない。

要約

誰かが自分の体験を説明しているとき、われわれが聞いているのはたいてい単純化された話だ。描写がうまいわけでもないし、記憶も確かではない。そもそも、きちんと観察できていたかどうかも怪しい。

友人が十月に休暇を取ることを、サイキックはどうやって予言したのか？　本当に予言したかどうか分からない、というのが答えだ。もし予言したとすれば、どうやったのかは分からない。ひょっとしたら、本物の予知能力の持ち主だったのかもしれない。しかし、友人は巧みなコールド・リーディングのテクニックでカモにされただけなのかもしれない。私はその場にいなかったし、どちらが正しいか判断するために事実を知る方法もない。もっとストレートに言えば、何が起きたかを語る友人の回想を私が聞いて、事実を把握することはできないということだ。

体験談を「説明する」のは不可能だ。仮にそれが可能だったとしても、懐疑主義とは何の関係もない。

では、そろそろ演台を降りてコールド・リーディングの解説に戻ろう。

※四〇ページのクイズについての記述は、騙されやすさについての著者のジョークです。
ここにクイズはありません。引っかかった方はお気をつけください。

第3章
デモンストレーション

というのも大多数の人は、外見が実体であるかのように思って満足してしまうからである。
いやむしろ、実体はそっちのけで外見だけに影響を受けることが多い。

——ニコロ・マキャヴェリ
〔一四六九―一五二七 イタリアの政治思想家〕

タロットから占星術まで

私の知る限り、メディアの「テスト条件」のもとで私以上に多くのコールド・リーディングを実演した人はいない。興味があれば、詳しい記事、写真、動画をウェブサイトで見てほしい。（www.coldreadingsuccess.com 内の「Vault」）

この章では、テレビ番組で私が実際に行なった二つのコールド・リーディングを採録した。最初のリーディングではタロット・カードの占い師、もう一つのリーディングでは占星術師を演じており、どちらも英国のテレビで放送された。これとは別に米国のテレビ番組で、透視能力者、霊媒を演じるよう求められたことがあり、これについても後で少し触れている。

二回の実演を行なったのは（本書の初版を出版した）一九九八年と二〇〇三年の間の時期だ。私の著書『スーパー・サイキック・リーディングズ』（二〇一九年）では、最近のリーディングに使っているシステムを解説しているが、二回の番組の収録は**新しいシステムを開発し、洗練する**前だった。既に書いた通り、上記の本のタイトルに「サイキック」という言葉を入れたのは、そうしないと何の話をしているのか誰にも分からないからだ。しかし、普段は「パーソナル・リーディング」と呼んでおり、「サイキック」という言葉は使っていない。私のリーディングはすべて無料だ。

私自身についての二つの誤解

ずっとコールド・リーディングに関わってきたことから、ときとして私自身についてつまらない誤解を受けることがある。いい機会なので、二種類の誤解についてはっきりさせておきたい。

一つは、私がサイキックであるという誤解だ。私はサイキックではないし、そう自称したこともない。メディアでの実演でサイキックのふりをする場合も、最後には関係者全員にそのことをはっきり伝えた。

もう一つの誤解は、私を一種の詐欺師だとする見方だ。そのため、自分がろくに知らない対象について怒りをぶつけるのが趣味のような人たちから、たいへん愉快な手紙が届く。こういった信心深い、愛すべき人たちは、私の無神経な活動を非難し、あくどい行為だと怒りをぶつけてくる。月曜の朝にこんな手紙を受け取ったりすると、たまったものではない。

私は詐欺師ではない。フリーの作家で、講演、トレーニング、パフォーマンスなどの分野にも関心を持っている。いろいろな理由（若い時期を有意義に過ごせたことなど）から、マジックや騙（だま）しのテクニックについての知識があり、エンターテインメントとして心を読んでみせるようなショーのノウハウも持っている。しかし私は常に、自分はサイキックではなく**エンターテイナー**だと強調している。以上のことから、詐欺師だという非難は当たっていないと思う。

テスト条件

ごくたまにメディアがコールド・リーディングの実演を依頼してくるときの目的は、私がコールド・リーディングだけを使って、まったく知らない相手に自分が本物のサイキックであると信じ込ませることができるかどうか調べるというものだ。こうした実演の多くは以下のような「テスト条件」のもとで実施された。

1. リーディングを受ける被験者はテレビ局が選び、私は選考過程にまったく関与しない。ただし、二十一歳から五十五歳までの女性という条件だけは付けることが多い。実際にサイキックのもとを訪れるのはたいていその年代の女性だからだ。
2. リーディングを開始する瞬間まで私は誰が被験者かを知らず、前もってその人に関する情報が与えられることもない。後で紹介される場合も、教えられるのはファーストネームだけだ。
3. 被験者には、サイキックの能力について肯定的、否定的、どちらの方向にも強固な意見を持たない人が慎重に選び出される（どちらかといえば信じる、あるいは、どちらかといえば信じないという程度の人が被験者になった）。
4. 被験者は私の能力について好意的な評価などはいっさい聞かされず、あらかじめ私を信じるように仕向けられることはなかった。被験者には、私がリーディングを行なうことと、後で率直な感想を聞かせてほしいということだけが伝えられた。

5. リーディングは少なくとも二〇分間は続ける。大ざっぱな「バーナム・ステートメント」（七八ページ参照）だけでなく、十分に詳しい内容を伴わなければならない。

6. リーディングの後で被験者は単独でインタビューを受けるが、ここに私はまったく関わらない。被験者は正直に自分の意見を言えばよく、好意的な話をするよう仕向けられることはない。インタビューの中で被験者は、私を偽物かもしれないと思うかという質問を受ける。

7. リーディングはそれぞれ一回きりでリハーサルは行なわない。撮り直しも、途中で休憩をはさむこともない。どういう結果になろうと、一部始終を放送することに私は同意する。

8. リーディングとインタビューの後で、できるだけ相手を不愉快にさせないよう配慮しながら、真相を被験者に告げる。自分は騙（だま）されやすい人間だとかバカみたいだとか、相手に感じさせない配慮が必要だ。私がコールド・リーディングを使う偽（にせ）のサイキックだということを（見破られていなかった場合は）被験者に明かし、実験の目的を詳しく説明する。

私とメディア側（新聞社やテレビ局）との間で、前もってすべての条件に合意がなされた。

リーディングの採録

第2章の冒頭で、そこに示した事例は架空のものだということを強調した。しかし本章では、テレビ番組で私が実際に行なったリーディングと、リーディング後の被験者の反応をそのまま文字に起こしている。

現実の話し言葉は小説の中の会話のように単純で整った形をしていない。自分の考えをまとめきれないままだったり、繰り返しがあったり、口ごもったり、つぶやいたり、支離滅裂だったりする。そのため、文字通りの書き起こしは読みにくい場合がある。この点に留意しておいてほしい。

書き起こしはできるだけ正確に行なった。ページ割りのために必要な場合か、もとの言葉、あるいは言葉の断片がそのままではどうにも意味が伝わらない場合に限って、ごくわずかな修正を加えた箇所がいくつかある。しかし、誤解を招くような修正はしていない。リーディングで「ミス」をした部分を省略したり、「ヒット」した部分を実際以上によく見せたりもしていない。

事例1――タロット・カードによる即興リーディング

最初の事例は、オープン・メディア・プロダクションズがチャンネル4〔英国の公共テレビ局〕向けに制作した「The Talking Show（ザ・トーキング・ショー）」というシリーズからのものだ。オープン・メディアのチームと仕事をするのは、最初から最後まで楽しい経験だった。この興味深い実験を収録するにあたって、ハードな作業をプロとしてこなしていった彼らの心意気に敬意を表したい。

番組のプロデューサーから私は、タロット・カードの占い師のふりをして、スタジオ収録の場で思いついたことをリーディングとして告げるよう依頼された。リーディングを行なったスタジオに観客はおらず、後で実際に放映された番組の一部として、編集したリーディングを観客に見せるという形だった。

最初の事例の被験者は二十代の終わりか三十代の初めの女性で、スージーという名前だった。背が高く、ほっそりしていて身なりもよく、話し方は洗練されていた。印象としては、高い教育を受けていて、快活で、特に協力的というわけではないにしろ、リーディングにかなり興味を持っているようだった。顔を合わせたとき、スージーは少し緊張している様子だったが、リーディングの早い段階で、ユーモアのセンスに恵まれていることが明らかになった。反応は素早いが、それほどよくしゃべるわけではない。たいていはひとこと、ごく短い言葉が返ってくるだけだった。

リーディング（全文）

［私］お名前は？

――［スージー］スージーです。

［私］正式には？

――スーザンです。

［私］スーザンですか、それともスザンナ？

――スーザン。

［私］分かりました。では、これからやろうとしていることについてお話しします。最初に、これまでリーディングを受けたことがあるかどうか、うかがいたいのですが。

――ありません。

［私］一度も？　それは信じていないからですか、それとも……

――うーん、リーディングのことを考えたとき、自分のまわりに［タロット・リーダーが］いなかったんだと思います。信じているわけでもないし、信じていないわけでもありません。

［私］なるほど、開かれた心をお持ちなのですね。

――開かれた心、ええ。

［私］それで、お願いしたいことは……といっても、あなたに何かしていただくというわけじゃなく……私ががんばって、ベストを尽くしますけれど……

――はい。

［私］……あなたにお願いしたいのは、まわりで私たちを見つめ、話を聞いているこの人たち［テレビ局のスタッフ］を忘れるということです。あまりにも個人的な事柄には触れません。悪い知らせとか、そういったことには踏み込みません。まず私がしたいのは、このカードがあなたのカードだと、単にそれを説明することです。

――ええ。

［私］カードが意味しているのは、たぶん私よりもあなたにとって意味があることです。

――そう。

［私］それでも、できることはして差し上げますよ。

――なるほど。［理解し、同意した様子］

［私］最初に、しばらくこのカードの束を手に持ってください。そうして、頭の中で、心の中で、人生のこの瞬間、いちばん重要なことについて考えるのです。

ゆっくり時間をかけて構いません。繰り返しになりますが、リラックスして、まわりにいる人たちのことを気にしないで。そうして次に、カードの束を下に置いて、一つ山を分けてください。

──ええと、二つの山にするんですね？

［私］　そうです、そう。束を下に置いて……山をカットしてください。

──［指示にしたがって山を分けながら］　こんなふうに？

［私］　はい、いいですよ。［私は六枚ずつ三つの山を作った。それぞれが過去、現在、未来に対応する。最初は一組のカードだけを表に向ける］　さて、こちらにあるカードで過去を読み取ります。次に、真ん中のカードもすぐ後でめくります。その後、スージーさんの未来を見ます。それからもう一つ。もう一度カットしていただけますか。

それでけっこうです。こちら［余分のカード］はのけておきましょう。

いいでしょう。これからすることは、まず、何というか、過去にあなたがなさったことを少しばかり見ていきます。かなり以前までさかのぼれるかもしれません。見えているいくつかのカードは良いものです。でも、どんなことでも、同意したり否定したりする必要はありません。

──ああ、なるほど。［同意し、理解を示す］

［私］　当然ながら、私にはぼんやりとしか見えなくても、あなたには……

──そうですね。

［私］　……特定の事柄に入っていこうとするとき、そこで何か思い当たることがあったら、もちろん私に知らせていただいていいですよ。何も不都合はありませんから。

さて、［スージーに一部のカードを示しながら］「魔術師」や「ワンド（杖）のキング」や「ワンドの9」などの良いところは、自分自身の意志に従い、他人に振り回されない人と大いに関係があるということです。人生で何かを手に入れるために懸命に働く人です。先の見通しを立ててしっかりと計画し、実行する人で、他人の都合に振り回されたり言いなりになったりしません。率直なところ、どうでしょう、こんなふうに言えませんか？これまでの人生で、あなたはずいぶん多くの反対や、障害や、「ノー」を突きつける人や、問題にぶつかったけれど、そういうものは克服できると。

——うーん、そうね。

［私］押しが強くて、とかく力を誇示したがる、よくいるどうしようもないタイプだと思っているわけではありませんよ。実際、あなたはそんな人じゃありませんから。［屈託のない調子で］ただ、あなたをそんなふうに見ている人も、きっと二人や三人はいるはずです！

——［笑ってうなずき、同意を示しながら］ええ。その通りだって思う人が何人かいるかも。

［私］でも、あなたの内面を見ると、本当はそんな人じゃないと思います。でもあなたは懸命に努力して、いま手にしているものを獲得してきた人です。成りゆきまかせでやってきたわけじゃありません。

——［笑い］もちろん！

［私］あなたにとって、そんな考え方はずいぶんバカげたことじゃないですか？　誰でもそ

ういう人を知っています。銀のスプーンをくわえて生まれ、何不自由なく生きてきた人のことを。私の考えでは、あなたはそういう人じゃなくて……いろいろ反対にもあったことでしょう。障害や、邪魔なものや、拒否にも。それでも、あなたは乗り越える。

——その通り。

［私］もう一つ……あなたの人生における、ほかのいろいろな側面についてですが……

——はい。

［私］……ここに出ている兆候によると、若い頃あなたは……かなり前かもしれませんよ……いくつかのカードから受ける印象をお話ししているだけなので、間違っているかもしれませんが、かなり若い頃に、事故があったと思うのです。あなたのご家族は、ご両親と……兄弟、姉妹はいらっしゃる？

——男も女も一人ずついます。

［私］……お一人ずつ。そうだと思ったんです。ごきょうだいはよくこの話をされていたはずです。あなたがかなり若い頃に起きたことを。事故があって、目に見える傷はもう残っていなくても、当時は相当な痛手だった。思い当たるところはありますか？

——はい。事故というふうには呼びませんが、でも、ずいぶん若い頃にありました。

［私］不運な出来事が。

——不運な出来事が、ええ。

［私］　あなたはそれで……こう言ってもいいでしょうか……私の受ける印象では、ご家族、特にご両親がそのとき必要以上に心配なさっていたと。というのも、けっきょくのところ、ご両親がお考えになったほど深刻なものではなかったのですから。

——ええ、そうかも。

［私］　いいでしょう。これはそこまでにしておきましょう。ここ［過去を表すカード］に出ている良い面のいくつかが、ここの現在についての印象にも出ています。

——なるほど。

［私］　でも、それ［事故／不運な出来事］はもう過ぎたことです。あなたはもうそれにとらわれていない。いつまでも影響を及ぼし続けるようなものではなくなっている。

——ええ。

［私］　少しだけ、時間を先に進めましょう。いくつか素晴らしいカードが出ています。これは「カップのエース」、これは「カップの2」ですね。カップ（杯）は「所有すること」、所有物と関係があります。あなたが持っているもの。その、どう言ったらいいか……これは公開の場ですからね……つまり、実利的な面をお持ちだということです。率直なところ……

——［少し笑って］ええ。

［私］　……でも、それがあなたの中で最も支配的な影響を及ぼしているとは思いません。

――そうね。

［私］それで、誰でもこういう人を知っているでしょう……あまり物欲がなくて、人好きがするけれど、見すぼらしい状態でいても苦にせず、満足しているような人のことを。率直に言って、あなたはそういうふうではありません。

――ええ。

［私］若い頃にたぶん……［ためらいながら］ほら、ここにこういう絵柄が出ているのは、対照的な事柄を示していて……創造的な才能です。

――はい。

［私］ここ［過去］とここ［現在］についてです。嘘っぽくなるので、当て推量でお話ししたくないのですが……

――でしょうね。

［私］……私の受けた印象をお伝えします。

――分かりました。

［私］私の受けた印象だと、まだかなり若い頃、あなたに並はずれた才能か野心があることを、まわりの人は知っていた。美的なセンス、芸術的なセンスをお持ちですが、そういう分野ではないと思います。そうじゃなくてもっと、ここの人たち［テレビのプロデューサーたち］に関係のあること、コミュニケーションや言葉に関わることかもしれません。でも、

この点はちょっと後回しにします。

――ええ。［手順に理解を示す］

［私］ あなたには伸ばしていける才能があったはずです。もう過去のものになってしまったとは思いませんが、そのことはまた後ほど。でもこの段階で私が思うのは、あなたがその才能を、当時ご両親やお友達、先生たちが思ったような形で伸ばす機会がなかったと言えるのではないか、ということです。

まわりの人たちはこんなふうに言ったでしょう。「スージーはこれから、遠い道を行くことになりそうだ」と。でも実際はそうならなかった。いまのところ、その道でやっているわけではない。これは思い当たるところがありますか？

――はい。

［私］ なるほど、いいでしょう。先へ進んで、もう少し後のこと、ティーンエイジャーの頃というか、恋愛感情の芽生える頃の話をしましょう。これはとても難しいのですが、なんとかやってみましょう。もしうまくいけば、私も楽しいし、あなたにとっても楽しい話題でしょうから。

――ええ、そうね。

［私］ 具体的にいくつと把握するのは難しいのですが、振り返ってみてください……うわついたところがあったわけじゃないと思いますけれど……ティーンエイジャーの頃、いくつ

か恋愛を経験しましたね！〔屈託のない調子で、かなり数が多いことをほのめかす〕

――はい。〔笑い〕

〔私〕とはいえ、道ならぬ恋なんかじゃなくて……

――その通り。〔笑い〕

〔私〕誰かを思い出せると思うのですが、〔ためらって〕「M」か「N」の音が浮かんできます。「ニック」か「ミック」かもしれません。そういう愛称に思い当たるところがあるはずです。

――〔困惑して、ほとんど反応なし〕

〔私〕いますぐ思い当たることがないとしても、考えてみてもらえますか？

――分かりました。

〔私〕学校の関係で知っていた誰かでしょう。学校周辺にいた誰か、ボーイフレンドか親しくしていた人、仲の良い友達かもしれません。デートしていた相手とは限りません。私の印象では……音の話をしましたけれど……「ニック」か「ミック」というのは単なる愛称だった可能性もあります。そういう人は誰か思い浮かびますか？

――いいえ、本当に……

〔私〕大丈夫ですよ……

――マイケルというきょうだいがいましたが、それだとちょっと……

［私］……そうなんですか。仲が良かったのですか？

――それなりには。

［私］わりと良かったんでしょうね。というのも、本当にコミュニケーションに欠ける家族だってあるということは、残念ながら誰でも知っていますから。そういうところから受けた印象だったのかもしれません。

――ええ。［同意した様子］

［私］正直に言いましょう。家族との関係だと思っていなかったことは率直に認めます。家族の領域から離れて外に目を向ける傾向があるもので……

――家族以外のどこかに、ええ……

［私］……でも、私の感じていることで、あなたに思い当たるところがあるものだけを取り上げることにするなら、こう言ってもいいでしょうか。私が目を向けようとしている時期、つまり……

――ティーンエイジャーだった頃ね。［同意し、話の先を聞く］

［私］……ティーンエイジャーだった頃の、きょうだいとの関係です。その年頃だと、きょうだいで喧嘩ばかりしている人も多いですから。言い争ってばかりいてね。でも、あなたの場合は建設的な関係だった？

――うーん、そうね。

[私] 私たちが話していたのは、そのことだったかもしれない?
──かもしれません。ええ。
[私] それで、きょうだいの名前は……?
──マイケル。
[私] いいでしょう。マイケルがここにいたと [過去のカードを示す]。そのほかに……ここからは家族以外に目を向けようとしているのですが……距離が問題になるような関係はありましたか?
──うーん、そうですね。家を離れて学校に行っていましたから。
[私] なるほど。
──つまり、地理的な制約が……
[私] つまり素敵なロマンスに、ある種の地理的な妨げがあった……
──[うなずき、強く同意を示す]
[私] ここでもう一つ見えるのがそれですが、この関係も、もはや過去のものになっていると思います。
──そうね。[同意]
[私] さて、もう少し先へ行きましょう。あなたが最初に正規の仕事に就いたときのことですが、何らかの種類の……私が思うに、ごく当たり前の手順ではなくて、ずいぶん運が良

かった……ラッキーだった。

——ええ。ひょっとしたら。［ほほえむ］

［私］ひょっとしたら、というのは、思い当たるところがあるんですね。

——はい。

［私］求人広告を見て面接に行く、そういう人もいます。それがごく普通のやり方です。あなたの場合は、何かびっくりするような、素晴らしい幸運に恵まれたように思います。

——ええ。［軽い同意］

［私］このことに思い当たるところがあると。

——ええ。［軽い同意］

［私］なるほど。あなたは懸命に努力して、いま手にしているものを獲得してきた人だと前に言いましたけれど、そのことと矛盾するわけではありません。それでもやはり……

——運が良かった。ええ。

［私］誰にでも一度や二度は良いカードがめぐってきます。ここには技能の要素があり、幸運の要素もあります。特に仕事に関して。前に事故について話しましたね……子供の頃やティーンエイジャーの頃には、特に話題にするほど大きな健康問題はないようです……

——ありません。

［私］そういう問題は何もなかった。

——ありません。［首を振る］

［私］あなたはずっと健康で、体力もある。

——ええ。［同意］

［私］けっこうです。

先へ進みましょう。そこの人たち［テレビのスタッフ］は現在と未来についてしゃべらせたいようですから。もう少し現在に近いところ、これもなかなか面白い……

——そう？［ほほえみ、笑う］

［私］ここに影響が出ています。いまお話ししているのは、お祝いをする季節というか、つまりクリスマスや新年といった、そういう時期のことで……覚えておられるでしょう、それはたぶん、お酒かコーヒーを飲みながら人と話したりするようなことだと思うのです。そこで何か、ちょっとまずいことがあった。「ああ、何でこんなことが私の身に起きるのかしら」というようなことです。ちょうど出かけようとしたときにドレスが破れたとか、約束していたことが流れたとか、行き先を間違えたとか……

——うーん。［戸惑い、慎重に、軽く同意するだけ］

［私］パーティと関係があるか、クリスマスや新年のようなお祝いの時期に関わることかもしれません。でもそれは単に、私が最初に受けた印象です。ひょっとしたら去年の年末かもしれません。何かの集まりで会う約束をしていて、ひどく戸惑うようなことが起きたとか。

――ひどい経験というのは何も思い出せないわ。

［私］ないですか……それだと、私が誇張しすぎたのでしょう。ちょっとした不都合があった。

――ちょっとした不都合。ええ、それなら。

［私］実際には、私がさっき言ったほど大げさなものではなかったと。

――ええ。ごめんなさい。

［私］ご心配なく！……それでも、関連性を言えば……時期としてはクリスマスから新年、そのあたりだったのですか？

――はい。十一月あたりでした。

［私］十一月あたり、なるほど。それは直接あなたに影響を与えて、また……

――ええと、そうですね。簡単に解決することだったんですが、そのときは何だかバカみたいに感じて。

［私］つまり、あなたの側では簡単に解決したと……

――［笑って同意］

［私］……でも、おかげで大勢の人があおりを食らったかもしれませんね！　では、ちょっと［ここまでのリーディングを］振り返ってみましょう。あなたの過去の生活について、思い当たるところがありそうな事柄がいくつかあって、マイケルもそこで見つかりました。

マイケルはまた出てくるかもしれません［配置したカードの「現在」を表す部分を示す］。

マイケルにはいまでもよく会うのですか？　そこに少し距離を感じるのですが……

――ええ、距離があって、クリスマス以降は会っていません。

［私］さて、あなたの現在がどうなっているかを見ましょう。これはたいていの人が［興味を示すところです］……。ここがあなたのこれまでいたところ、こちらが現在のあなたがいるところです。

――これからそこに行くんですね……うん。

［私］［カードを調べて］おやおや、このまま続けていいんだかどうだか！［軽い調子で］

――［笑い］

［私］さてと。健康は問題なし、それが第一。

――ええ。

［私］こう言って良ければ、基本的にタフですけれど、立ち直りが早いですね。それから、教養があるけれど学ぶのをやめたりはしない。

――ええ。［同意］

［私］決断力があり、確固とした意志を持っています。

――ええ。［同意］

［私］実はずっと奥に隠したまま、誰にも見られないようにしている一面があって、そこを

突かれると簡単に傷ついてしまう。

――ええ。［同意］

［私］まわりの人はそんなところに気づかない。外から見てあなたは強い人だと思っているからです。でも、あなたと私と、そしてカードとの間だけで言えば、本当のあなたはとても傷つきやすいと分かる。過去五、六年の間に、まわりの人がしたことであなたは何度も傷つき、あなたの物の見方は変わってしまった。

――ええ、おそらく……［自信なさそうに］

［私］いいんですよ、確信がなくても。つまりその、白黒をはっきりつけようとしているわけじゃないんです。私は自分の受けた印象をお話ししているだけですから。ここでは職業上のつながりについてコメントしないといけませんね。私の印象では、人を楽しませるサービス、それと金融方面です。

――はい。

［私］そうなんですか？　私の受ける印象は、数字を扱っているというものです。あなたは数字に強いとはいえ、ギャンブラーではないし、株とは関係ないと思います。

――そうですね。

［私］私の印象では、個人の金融に関わるプロフェッショナルなイメージを感じます……分野はそんなところですか？

——はい。

[私] では、客が自分ではうまくできないことを、手伝ってあげていると言えば、当たっていますか？

——ええ。

[私] いいでしょう。そういう分野であなたが働いているのが分かります。

——[うなずいて、同意を示す]

[私] さて、結婚はされていないと思います。

——はい、していません。

[私] 子供はいませんね。

——いません。

[私] でも、いつか子供がほしい。

——うーん、ちょっと疑わしい！ [笑い]

[私] 疑わしい？ いいでしょう。まだはっきりしないのですね。いまのところは仕事に集中しているのだと思います。心のずっと奥で、いまの仕事が自分にふさわしいのだろうかと、そう思っている可能性はあると言えますか？

——ええと、そうですね。[驚いた反応]

[私] ここにつながりがあると思います。何かほかのことに思い切って手を出してみるとか、

ほかのことで生計を立てるとか、そういう問いかけが心の中にあるのです。

——ええ、そう。［非常に積極的な同意］

［私］そのことは、こちらで見た創造的な能力と関わっています。

——はい。

［私］ここに「女教皇」があります。これ［カードを示す］についてお話ししましょう。「女教皇」は母性や女性的な性質、女性の強さを表します。忍耐や献身、心づかい、あなたにとって最も大事なものへの配慮です。創造的な能力をめぐって、あなたは保護を受けながらも護（まも）られていたようなところがあると思います。それはものを書くようなことかもしれませんが、ユーモアのセンス、創造的なセンス、面白がる感覚も含まれている可能性があります。そういうものを自分の中で大事にしているところがありますか？

——はい。

［私］そこのところは同意されます？

——ええ。［同意］

［私］いいでしょう。また、私が思うには……あなたの創造性は、能動的な面だけでなしに、受動的な反応としても現れます。敏感に反応するところがありますね。たとえば、音楽が好きだとか。

——ええ。［同意］

［私］音楽のコレクションはなかなかのものです。
――ええ。［同意］
［私］あなたは音楽を楽しんでいます。音楽がすごく大きな満足を与えてくれます。
――ええ。［同意］
［私］あなたは社交性に富んだ人です。誰にでもそれは分かると思います。カードを見るまでもなく。
――［笑い］
［私］同時に、こう言ってもいいでしょうか、「夜遊び」なんかもずいぶんやっていると？
――そうね。
［私］クラブだとか、そういうところへ？
――ええ、そう。
［私］ときには度を超すことも？［軽い調子で］
――職場の上司に聞いた方が確かでしょうけど、答えはイエスよ。［笑い］
［私］そうですね。でもここに上司の方はおられないので、あなたに聞くしかありません！
［一緒に笑う］
――ほんとに、そうね。
［私］あなたにはその自覚があるから、手に負えなくなったりはしないはずです。仕事の面

であなたは、無理に選ぶよう迫られているわけではないのですが、選択肢を手にしています。ついこの間、オフィスにやってきた誰かにクビを言い渡された、などとは思いませんが。私が考えているのは、いまやっている仕事で十分に満足させられない、創造的な面があなたにはあるということです。

——ええ。〔同意〕

〔私〕なぜなら、あなたの仕事は数字とか金融とか、そういったことだからです。それは正しいですか？

——はい。

〔私〕いいでしょう。「私には創造的な能力がある。どのくらいできるか試してみたらどうだろう」と、よく考えたかもしれません。そういう選択肢があなたの前にあると思います。それは視覚芸術じゃなくて、何か文章を書くようなことかもしれません。あなたはこう思っているかもしれません、「いま、手を出していいものか？」と。

——見込みはあるのか？

〔私〕見込みはあるのか、と。そうすると、ここには思い当たるところがあるのですか？

——ええ。〔同意〕

〔私〕もう一つ、あなたについていま分かるのは、それが心に重くのしかかっていくことです。これをお話しすると、きっとあなたは笑うでしょうけれど……

――どうぞ続けて！

［私］……あなたはお金のためにかけずりまわるような人ではありません。ゆったりしています。

――ええ。何とかなっています。

［私］何とかなっている。あなたのそういうところも高く買われているわけです。誰でもできることじゃない。

――ええ。

［私］お金について用心深い人もいれば、そうでない人もいます。あなたは慎重な人で、注意を払っています。実を言うとあなたの外向的な面は、表面的なリーディングで示されるような形では現れてきません。私はあなたのことを、機会さえあれば赤い鼻をつけて人前に出て、悪ふざけをしてみせるようなタイプだとは思いません。

――もちろん違います。

［私］それでも、自分の意見を言うのをためらうような人でもありません。誰もが笑い話やエピソードを披露しているのに、自分だけじっと壁の花になっていたりはしません。人生や、地理や、歴史など、いろいろなことをあなたはよく理解しています。生計を立てるためにやっていることと関係がなくても、さまざまな話題について語れる人です。

――ええ。

［私］外に興味があるのです。創造的なことや、文章を書くことや、音楽や、そういったことについて語ることができます。

——ええ、そう。［強く同意］

［私］歴史にも興味がおありでしょう？

——うーん、そうね。［部分的な同意］

［私］そこそこは。

——そこそこは。

［私］……いいでしょう。でも、これもやはり職業とは別の話です。やはり私は、ここでも人との関わりがあると思います。あなたとごく近いところに、選択肢があるのだと……

——ふうん……［部分的な同意］

［私］あるいは、いまあなたの身に起きようとしていることがもっと継続的な基盤を持つようになるかもしれない、そういう選択肢を、ごく近い将来に手にするでしょう。

——もしかしたら、ええ。

［私］いいでしょう。さて、そういう選択肢があって、どんなことが起きるのか、ここ［未来を示すカード］を見てみましょうか。

——はい。

［私］それともう一つ、長年のうちに自分のまわりに築いてきた保護層のようなものがあっ

て、たぶんときにはそれを、いまは……いえ、このことをお話しするのは、それが見えるからというだけで、あなた個人を責めるつもりではありませんけれど……いくらか脱ぎ捨てなければならなくなるでしょう。

——その通り。

[私] というのは、人に対して少し身構えすぎた、いくらか冷たい態度で接することになるかもしれないからです。ご自身では、そういうことを認識していますか？

——ええ。

[私] なるほど。それはここに出ています。「ソード（剣）」なんかがこんなに多いと、避けるのはとても難しい［カードを取り上げる］。「ソードのキング」です。女性的な面を強調できれば、うまくいくかもしれませんが……

——小娘っぽく？

[私] うーん、それはあまりイメージの良くない表現ですね。女性の優れた特質というか、伝統的に女性らしい傾向とされているものがあるじゃないですか！　それから、あなたは政治への意識もありますが、そこにこだわりすぎてはいません。

——ええ。

[私] というのも、政治はそんなにたいしたものじゃないという思いが強くて、そこでどんなことが語られるかはいつも分かっている。だから、どうなろうとあまり気にならないの

です。ええと、金銭に関わるやりとりがちょうど影響を及ぼしつつあるようで……

──「やりとり」ってどういう意味ですか？

［私］うーん、たとえば、あなたが創造的な面でやっていけるかどうかという話が出ましたが、最近、その道を進んでいる誰かと連絡をとったりしたことはありませんか。

──あります。

［私］その方面で何らかのインプットを示唆（しさ）する、手紙か何かのやりとりがあったのでは。

──ええ。

［私］最近あったこととして見えているものの一つがそれです。でも、現在も進行中です。

──［非常に強く同意］

［私］さて、こちら［未来のカード］に移りましょう。これから三枚めくります。続いて三枚……。最後の三枚のうち、一枚を選んでください。別に手品じゃありませんよ……

──鳩が飛び出したりしないのね？……じゃあ、このカードで。［笑い］

［私］この一枚は最後に残しておきます。決断のカードですから。それで次は……「コインのエース」ですね。金銭面でとても良いカードです……

──良かった！

［私］……そりゃあ、次に『フォーチュン』誌が大富豪ランキングを発表したとき、あなたが上位一〇〇人に入るとは思いません。それでも、金銭面のセンスの良さと管理能力が備

わっていて、あなたはずっとその能力を発揮してきました。……それは家系からくるものじゃありませんか？

――うーん、そうね。［部分的に同意］

［私］それほどでもない？……まあいいでしょう、うまくいくこともあれば、間違うこともありますから！　この傾向は発展しつつあって、ますます大きな満足を得ることになります。あなたがウォータールー橋の下で段ボールにくるまっている姿〔ロンドンのホームレスを指す婉曲的な表現〕なんて思い浮かびませんよ。だから「コイン」のカード。そして、ここには間違いなく選択肢が……「ワンドのペイジ（騎士見習い）」、「ワンドの3」……人生を自分の望む方向に向ける機会です。

――なるほど。

［私］これは能力を表していて、たぶん、何か決心することになるのでしょう。長い小説を発表するとか、テレビの脚本か何かを書いていて名前が知られるとか。創造的な力の高まりがあって実りをもたらす。私には分かります……

――成功しますか？

［私］うーん、タロット・カードには絶対確実なことなどないのです。

――分かりました。

［私］あなたにとっての成功は、別の人が考える成功と同じではありません。私たちが何を

成功と考えるかによって……

――そうね……［うなずいて同意］

［私］ポンド記号に続く数字の大きさで測る人もいれば、……書いたものがたとえ誰の目にも触れなくても……

――そう、実際に書き上げたことこそが……

［私］……実際に書き上げたことこそが大事だという人もいます。特定の誰かに作品を見せて、その人が喜んでくれさえしたら、それだけで満足という人だっています。

――ええ。

［私］それはそういう種類の成功だということ。私に見えているのは、ここに出ている能力によって、これまでよりもっとあなた自身の人生をコントロールできるということです。ここに、アルカナの最後にあたる21、「世界」のカードが出ています。このカードと関係があるのは、いわば自分の支配圏を作り出す人物です。

――ふうん。［カードの意味に興味を示す］

［私］それと、自分でもお分かりだと思いますが、今後あなたがやろうとしていることの一つは、人生のもっといろいろな事柄をきちんと整理することです。自分でそうしたいと思うところで生きていく。自分のまわりにあってほしいと思うもの、まわりにいてほしいと思う人に囲まれた生活です。どうにも行き場のないところへ追い込まれてしまうことはあ

りません。残念なことですが、中には……

——そういう人もいる。

[私]……そういう人もいます、確かに。それから、一緒にコーヒーを飲んでいても、自分の人生は何一つうまくいかなかったと嘆いてばかりいるような人がいます。でも、スージーさんはそんなことはしない。あなたはそんな人じゃない。

——その通りです。

[私]ところで、前に言ったように、あなたの健康にはずっと問題がないと思います。私のところへ何度こられても、ほかの誰かに相談されても……

——ええ。

[私]……ひどいことになりそうだ、なんて話は出てこないでしょう。

——そうね。[それはない、と同感を示す]

[私]ただ、喉のあたりに問題がある可能性はあります。これまでに悩まされたことがあるかもしれません。病気がはやりだすと、真っ先に喉がやられる人かもしれません。

——ええ。

[私]思い当たるところがあるかどうか分かりませんが……でも、そうひどくなるわけではありません。

——そう。[関心は薄いようだが、反論はしない]

［私］恋愛の面では……たぶん自分でお考えになっているより、ずっと多くのことが見えています。

――あら！　それはいいわね！

［私］判断を下し、意志を固めるべき範囲はやはり……

――ええ。

［私］……その相手は、何も気づいていないかもしれません。でもここに、ずいぶん実りの多いパートナーシップが出ています。

――はい。

［私］単なる仕事上の関係を超えるものです。たぶんその相手は、あなたの生き方や衝動の創造的な面との関連で出会う人です。

――はい。

［私］さて、あなたは一つ直接的な質問をしましたね。創造性に関して成功するかどうか。［最後のカードを示して］ああ、この場所で何か本当にいい答えが出たら、ここでのあらゆる点について何も申し分ないということになるのですが。「ワンドの6」ですね、このカードについてお話ししましょう。私が言いたいのは、成功が何を意味するか、あなた自身の言葉によって判断する必要が出てくるということです。たぶん、あなたの書いたものがジョン・ル・カレ〔一九三一―二〇二〇　スパイ小説で知られる英国の作家〕なみに高い評価を受けるということにはならないと思

います。6というのは真ん中あたりの数字じゃないですか。

――平均的ということ。

［私］　ある意味では平均的ということです。ワンドは創造性や、力や、いろいろなことに自分の能力を使う人と関係があります。ここでタロット・カードが示しているのは、スージーさんは前に進んでいくということ、自分のしたいことをして、そのこと自体が大きな満足を与えてくれるということだと思います。ただし、単にお金のためだけを考えてのことなら、やめておいた方がいい。

――はい。

［私］　ほかに動機がなければならない。あなたの深いところに何かがなければならない。あなた自身も核心のところでは分かっているはずです。

――ええ。［うなずく］

［私］　自分自身が成功をどう考えるかということです。もちろん、小切手がどんどん送られてきたら素晴らしいですが！

――本当に。

［私］　もしお金にならなくても、けっきょくこんなことでしかなかったのね、などと言わないことです。どうやら、話の締めくくりはそういう方向になりそうですね。

――はい。

チャンネル4「The Talking Show（ザ・トーキング・ショー）」で、テスト条件のもとでタロット・リーディングを実演する著者。当時はこんな長髪だったが、いまになって見ると妙におかしい。（© オープン・メディア・プロダクションズ／チャンネル4）

〔私〕こんなふうに、あなたの過去、あなたの現在、あなたの未来について見てきました。もしほかに特に知りたいことがないようでしたら、ここまでにしたいと思います。できるだけのことはしました。多少なりと意味のある部分を受けとめていただけたら嬉しく思います。

――はい、良かったわ。どうもありがとう。

〔私〕この後は、誰かがあなたに感想をうかがうという段取りになっていたと思います。

――ありがとう。さようなら。

ここでリーディングは終わった。この時点で、スージーがリーディングをどう思ったか、どんな感想を述べるか、私はまったく分からなかった。ひょっとしたら、どう見てもインチキだと私を非難するかもしれない、とも思っていた。

被験者の感想

リーディングの後で、番組の進行役を務めるサンディ・トクスヴィグ〔一九五八― デンマーク生まれの英国の作家、コメディエンヌ、テレビ・ラジオの司会者〕がスージーに感想を聞いた。

［サンディ］照明や何やらのせいか、イアン〔著者のローランド〕は慎重になっていました。普段はあんな感じではありません。あなたは大丈夫？

――［スージー］大丈夫です。そんなに怖くなかったし。ほら、自分で勝手に想像して、きっと怖い思いをするだろうと考える人もいますから。でも大丈夫でした。

［サンディ］リーディングでは、どんな話を聞きましたか？

――過去から、現在、未来へと進みました……一貫していたのは、きちんと問題を解決できるということと、健康は良好でいられるということ。これは嬉しいわ。そして、これまで開花しなかった創造的な傾向が……才能と言ってもいいですけど……あるかもしれないこと。ひょっとしたら……一気に逆に振れて、あとはどうなろうと「いいや、やってみよう」ということになるかもしれない。でも、ほどほどに幸せで、友人も多く、遊びまわっているとか。つまり、不吉なことは何もなかったわ。私に良くない話をしないようにと、前もって言われていたのかどうかは知らないけれど。

［サンディ］ご自分について、ずいぶんいろいろなことが分かるものだと驚きましたか？

――はい。ものすごく、というわけじゃないけど……つまり、ずいぶん多く、具体的なことが盛り込まれていたんです。山羊座の人はどうのこうの、というような話じゃありませんでした。ええ、驚きましたね。

〔サンディ〕特に驚いた具体的なこととは何ですか？

――そうね、創造的な面ということかしら。まわりの人にはあまり知られていないので。問題を解決していくところとか、きょうだいとのかなり強い絆（きずな）とか、そんなこともね。

〔サンディ〕つまり全体的として、基本的にはやって良かったと……

――ええ。ただ、前に経験したことがないので、比較してどうこうは言えないけれど。でもかなり感銘を受けました。

〔サンディ〕ぜひはっきりさせておきたいのですが、スージー、あなたはリーディングを受けるまで、イアン・ローランドに会ったことがなかったのですね。

――一度も会っていません。前にこういうことをしてもらったことはありません。

〔サンディ〕いいでしょう。今回、イアンはかなり具体的なことをつかみましたね。ごきょうだいの名前。若い頃に事故があったこと。クリスマスの出来事。イアンがそれをやってのけたことで、びっくりしました？

――はい。きょうだいのこと、クリスマスのこと。そうです。私は開かれた心でここに来ました。こういうのは事前に仕込まれているんだろうと、いつもは思っているじゃないですか。でも、本当に会ったことなどなかったんです。ええ、本当に驚きでした。二つ名前を挙げただけで、その一つが当たっていたんですから。

［サンディ］自分自身の情報を、なんというか、何も伝えないように努めていましたか？

——ええ、そう。質問には答えましたが、私からは何も言っていません。

［サンディ］全体として、どう感じましたか？

——かなり感銘を受けました。おやおや、自分について、知ってほしいことも知られたくないことも読み取ってしまう人がいるなんて、と以前は思っていたのに、どういうわけかそれを体験してしまったわけです。でも、落ち着いた気持ちでいられたし、楽しめました。

［サンディ］でも、驚いた？

——ええ、楽しい驚きでした。


番組の別の箇所でスージーは、私がサイキックのふりをしていた可能性があると思うか、という質問を受けた。それはあり得ないと思う、とスージーは答えた。

リーディングを振り返って

これは私がテレビ番組で初期に実演したリーディングの一つだ。実際に行なっているコールド・リーディングの特に強力な事例だとは考えていない。明らかに私は、いくつか重大なミスを犯している。たとえば、まずは弱い言明をしてみて、それがうまくいくようなら強いものにしていくという、「クリームの原則」（二一一ページ参照）を無視している。最初に強い言明をしてしまい、後から内容を弱めて適合させようとする箇所が多すぎた。

スージーには、相談者によくあるタイプと比べて、やや鋭いところもあった。インタビューから明らかなように、私がずいぶん多くの質問をしたことにスージーは気づいていた（うまく質問すれば、たいていの相談者はこのことにあまり気づかない）。しかしスージーは――ここはちょっと混乱しているのだが――自分がわずかしか情報を与えなかったとも述べている。実際には終始、言葉でもそれ以外の仕草などでも、十分なフィードバックを私に与えてくれていた。

私はこの実演が特にうまくいったと言いたいわけではない。にもかかわらず、スージーは最後まで私を本物のサイキックだと確かに思っていたし、タロット・カードのリーディングにはやはり何かがあると感じていた。友人でさえ知らなかったことも含めて、自分の人生に関する具体的で詳細な事柄を突きとめる能力が私にあると思い、本当に感銘を受けていた。

このリーディングは二四分三〇秒にわたって続いた。私はその中で、次のようなことをスージーに話した。

・スージーの人となり、気質、性格、技能、才能
・遠い過去における出来事と人間関係

- 近い過去と現在における出来事
- 現在の人間関係
- 家族のこと、きょうだいの名前
- 創造的な文章を書く能力（スージーの友人にも知られていなかった）
- 仕事の経歴、趣味、関心を持っていること
- 個人的なことと仕事の両方での野心
- 自分自身のことや、仕事や、選択について感じていること
- 金銭的なこと
- 社交、人とつきあう技術

これらのトピックについて語ったことは、全体的にある程度まで同意が得られた。私が言ったことにスージーが部分的にしか同意しないときもあったが、はっきり私が間違っていると言った場面はない。初対面の人と二五分近く話したにしては、そう悪くない出来だった。

事例2 ――事前に用意した占星術によるリーディング

二つ目の事例は、ＢＢＣ（英国放送協会）のためにロジャー・ボルトン・プロダクションズが制作した「Heart of the Matter（問題の核心）」というドキュメンタリー・シリーズからの

ものだ。この実演で私は、占星術師のふりをして二人の別々の被験者に同一のリーディングを提供するよう求められた。リーディングの内容をあらかじめ作成しておいて、それを二人の被験者それぞれに提示することに私は同意した。

このリーディングをめぐる状況は面白いものだった。その頃、別のプロジェクトで多忙をきわめていた私は、ぎりぎりまで準備できずにいた。リーディングを行なう前の晩の真夜中を過ぎてから私はコンピューターの前に座り、もっともらしく聞こえそうな占星術のリーディングを適当にでっち上げた。ぶっつけ本番でほぼ書き上げ、書き直しはほとんどしなかった。完成した文章は三九〇〇ワードほどになった。

被験者の誕生日その他の情報は与えられず、一人は乙女座、もう一人は牡牛座の生まれということだけ聞かされていた。リーディングの文章を用意するとき、まずは乙女座に言及しながらひととおり書き上げた。次に、ワープロの機能を使って「乙女座／処女宮」を「牡牛座／金牛宮」に置き換え、もう一種類の文章を作成した。星座の名前以外はすべて同じ内容だ。

私の知る限り、占星術の理論や実践で実際に使われている用法を守った言葉はどこにもない。「処女宮に土星が上昇する兆し」といった文句を書き込みはしたけれど、それがどんな意味を持つとされるかは何も知らないし、どちらかの被験者のホロスコープ（天体配置図）に適用されるものかどうかも分からない。私はただ、でっち上げたリーディングに占星術の用語をちりばめたかっただけだ。

テレビ番組「Heart of the Matter（問題の核心）」で、非常にタイプの異なる二人の女性に占星術めかした同一のリーディングを提供する著者。私の髪は、今となっては古くさい、いささか滑稽なスタイルだ。（© ロジャー・ボルトン・プロダクションズ／BBC テレビジョン）

さらに私は占星術師の使う空白のチャートを何枚か用意して、幾何学的な形や、曲線や、記号を描き込み、さも意味ありげに見えるようにした。

翌日の午後、制作スタッフの一人が所有する快適なフラットで収録が行なわれた。被験者とは個別に会って、用意したリーディングの内容を伝えた。ある部分を強調することもやろうと思えばできたが、どちらのバージョンにもいっさい手を加えてはならないというのがルールだった。私は二人の女性に対し、完全に同じリーディングを提示した。

「リーディングを振り返って」のところでも、このリーディングについてもう少し触れている。

被験者

最初の被験者（乙女座）は四十代の終わりか五十代の初めの魅力的な女性だった。言葉づかいは穏やかで、かすかに南アフリカの訛りが感じられた。体型は適度に丸みを帯びていて、スポーツ選手のような鋭さはない。服の好みはスタイルより着心地優先らしい。リーディングが終わってから、実は結婚していて、占星術に多少の興味を持っていることが分かった。

二人目の被験者（牡牛座）は二十代初めの自信に満ちた女性で、英国人だった。運動が得意なタイプで非常に痩せており、容貌や化粧の仕方、スタイリッシュなファッションから、外見にとても気をつかっていることは一目瞭然だった。物腰は丁寧で人当たりも良いが、最初の女性と比べると明らかに気乗りがしていなかった。リーディングが終わってから、この女性には長くつきあっている人がいるが独身で、占星術にはやや懐疑的だということが分かった。

この二人にはあまり似たところがないと分かっていただけたと思う。同じ内容のリーディングに、そういう二人がどんな反応を示すかが興味深いところだ。

リーディング

ここには乙女座／処女宮のバージョンを採録した。もう一つのバージョンは「乙女座／処女宮」のところが「牡牛座／金牛宮」となっているだけで、ほかに違いはない。

〈十二宮位の概要〉処女宮に土星が上昇
〈主要惑星〉第1室　金星・海王星、第5室　火星、第6室　冥王星
〈主要星位〉宝瓶宮に金星、双魚宮に海王星と火星、人馬宮に冥王星

▼乙女座の女性について

・心理的傾向

乙女座の女性は温かみがあって愛情深く、女らしい性格で、しばしば強い情熱や深い感情にかられます。たとえば魚座や双子座のように傷つきやすくはありませんが、このしなやかさには欠点もあります。あなたは自分の中にある力強さの感覚に慣れていて、ほかの人ならダウンしてしまうような打撃を受けても耐えられるため、誰かに本当にひどく傷つけられるようなことがあると（ときとしてそういうことも起こりますが）、強く反応しすぎてしまいます。そうなると自分自身を守りきれなかったことに驚き、思い悩んでしまうのです。さらに、自分の苦しみをはっきりと周囲にさらけ出してしまうこともあります。

自立性を失うのは本当に耐えられないと感じていて、ふとそういう状況を思い浮かべるだけでも本能的に身構えてしまいます。あなたは一人で行動することと、パートナーとともに協力して二人のためになるように活動することとの間で、うまくバランスをとることを好みます。

あなたはあまり人を恨んだりしません。時間の無駄だと思うからです。さっさと場所を移し、

些細な問題は捨て去ってしまいます。あなたの邪魔をし、ひどい扱いをした者は、冷たい返礼を受けることになります。軽蔑があなたの武器の一つ。あなたを怒らせた相手は厳しい侮蔑の視線にさらされ、取り残されるばかりです。

プライドや自信を揺さぶられても、あなたは自分を信じているので耐えることができます。しかし、あなたの気にかけている人が傷つけられたら黙っていられません。あなたにはいつも気にかけ、擁護すべき人がいます。誰かが身近な人を傷つけたと知れば、その相手をけっして忘れることはありません。警戒を怠らず、対策は万全だと思っていたのに、敵に隙を突かれたことで自分自身に対しても赦せないという思いがわき起こります。

しかし、相手がさらなる勝利を期待してもそれは無駄なことです。あなたと再び相まみえる機会がもしあるとすれば、乙女座の女性ほど敵にまわすべきでない相手はほかにいないことがはっきりするでしょう。肚がすわっていて、静かな闘志に満ち、いよいよ戦いとなれば、屈服することを知らないからです。最初の攻撃であなたをどうにか打ち負かした相手も、次はもう勝ち目がありません。白旗を掲げた方が賢明というもの。乙女座は勝利を手にするまで戦い抜くからです。

・仕事運

乙女座の女性は、たいていの分野でりっぱに職務を果たすことができます。料理人、ビジネスウーマン、芸術家、あるいは母親としても。創造的なことが得意で、いろいろな形で創造性を発揮します。優れた小説を書いたり、ガーデニングで賞を獲ったりするかもしれません。視覚的に自分の考えを表現したり、ダンスの才能を発揮したりする可能性もあります。あるいは、創造性をもっと繊細な形で発揮することも考えられます。たとえば、話し方、人づきあいや友人との関係、贈り物の選び方、休暇や特別なイベントでの過ごし方などに。

以上のような、いくぶん静的な図式をかき乱す問題点が二つあります。まず、あなたには少しものぐさなところがあって、あらゆる選択肢を試しきれず、自分がどの創造モードに向いているかを判断できないままになるかもしれません。ものぐさといっても、身体を動かすのがおっくうだとか、あちこち移動するのが嫌いだとかいう意味ではありません。旅行が好きだったり、二年ごとに引っ越しを繰り返すような人だったりするかもしれません。ここで言うのは、既に見つけた場所で満足してしまう心の怠け癖のようなもので、ちょっと角を曲がりさえすれば何かが見つかる可能性を見過ごしてしまうのです。

もう一つの問題は、エネルギーが尽きないということです。とりたてて運動好きではないかもしれませんが、それでも創造面と身体的な面でのスタミナが自分の中にたっぷりあることは分かっているはずです。この点からすると、自分の持てる力をすべて注ぎ込んで、可能性をとことん追求できるような役割を見出すのは難しいと感じるかもしれません。そこがほかの星座の人に比べて不利に働くことがあります。たとえば、水瓶座の人はもっと容易に満足できるし、天秤座の人はそれほど野心的ではありませんから。また、プラスの面で言うと、自分にぴったりの役割がひとたび見つかれば、あなたはきっとその機会を最大限に利用し、他者の追随（ついずい）を許さない存在になれるでしょう。自分が得意とするものを見つけた乙女座の人は、自分自身も愉快だし、まわりにとっても好ましい存在です。もちろん周囲の人が、乙女座のあなたの前に立ちはだかるなどという愚かなまねをしなければ、という条件つきですが。

▼主要な室（ハウス）について

・第1室

あなたの第1室は、心やロマンスと密接につながる事柄と関連しています。ここには情熱をつかさどる金星の影響が非常に強い兆候が出ていて、多くの人がしくじる場合でも、恋愛を成就（じょうじゅ）させられます。とはいえ、ときとして乙女座特有のタフさ、辛抱強さ、自信を発揮しなければならない場面がめぐってこないわけではありません。

深い知恵や人生の浮き沈みに対する柔軟さと関係づけられる海王星が第1室にあるのは良い兆候です。人生にはいろいろな局面があるし、恋愛も花の陰（かげ）に棘（とげ）を隠しているバラのようなもの。しかし、確固たる自信に支えられたあなたは、しっかりと先を見通して、愛と幸福を手にすることができるはずです。あなたには生まれながらにしてその資質があり、人並み以上の能力を手にしているからです。

・第5室

あなたの第5室は、仕事、自らの成長、個人的な富と関係していますが、この場合の富とは、純粋に金銭的な意味ではありません。エネルギー、力、征服をつかさどる火星の存在は、乙女座本来の強さと相まって、自分が望むものを得るために懸命に努力できるという、うらやましい限りの能力があることを示しています。明確な意志がなければ力尽きてしまうほどの障害にぶつかっても、あなたにはそれに打ち勝つ力が備わっています。

しかし、このような侮(あなど)りがたい力を発揮できるのは、自分が選択した道あるいは方向を心の底から信じている場合に限られ、その点で心が離れるということも起こり得ます。あなたの裡(うち)には、既に実績のあるものから離れず、自らが安楽でいられる場所にとどまり、いま手にしているもので良しとする傾向があります。言い換えれば、どんどん先へと進んで新たな地平を切り開き、野心を達成する能力があるのに、安逸(あんいつ)で静かな生活を選び取った場合、その能力が活(い)かされないままになる可能性があります。新しいことに挑戦して達成できる、この力と潜在能力を無駄にするのは残念です。

・第6室

あなたの第6室は、学問、知性、コミュニケーションと関連しています。ここで最も大きな影響力を及ぼすのは、平安、観想、孤独をつかさどる惑星、冥王星です。これはあなたが、新しいことを理解し、世界に対する新しい見方や展望を追求することをけっしてやめない人であることを示しています。これまでの人生で多くを学んできて、かつては困惑と不満を感じるだけだった事柄が、いまや明確になったという自覚を持っています。言ってみれば、あなたは航海者であり、旅人です。数々の経験を重ねた結果あなたは、難題が持ち上がったり人生が良くない方向へ流れていったりするとき、自らの経験を頼りにできる人になっています。

乙女座の人は普通、実際的な価値がほとんどないかもしれない、抽象的、知的な目標を追いかけようとはしません。学ぶことを楽しめますが、それも具体的な利益があって、人生の質を実際に高められると分かっている限りにおいてです。冥王星は、難題に頭からぶつかっていくあなたの生来の傾向を和(やわ)らげ、もっと創造的で繊細な戦略をとるように仕向けることでしょう。問題に向かって突進するのでなく、機知で切り抜けることが好みなのです。この組み合わせは非常に効果的なので、あなたは物事を学ぶこと、考えることが得意なはずです。あなたなら何か問題が起きても、強い意志と決断力で解決するか、ほかの人には思いもつかない気の利いた水平思考を使って切り抜けられるため、友人たちからたいていは信頼されています。

▼あなたの性格について——黄道十二宮の傾向

・コミュニケーション能力

あなたはコミュニケーション能力に優れています。過去五年間にあなたはこの方面でのみずみずしい才能を発見し、その知識と経験をほかの人たちと分かち合う喜びを感じてきました。でも、おしゃべりに忙しいだけの人ではありません。あなたのアドバイスやヒントは常にしっかり現実を踏まえていて、一〇〇パーセント実際的なものです。どのような状況でも実際的に考えることができ、些細（ささい）な問題に煩（わずら）わされることはめったにありません。友人たちはあなたのことを、困ったときに力になってくれる頼りがいのある人だと思い、あなたの強さを歓迎しています。

欠点があるとすれば、ときとしてどこでストップしていいか分からなくなることです。他人がそれぞれ自分の人生を生きるしかないことは内心よく分かっているのですが、自分の想像がどうしても相手も含めたところまで広がってしまうように感じています。実際、そこまで想像力が働くために、何もかも自分に任せてくれた方が煩わしいことも減って、もっと速く、もっと遠くまで行けるのにと、つい口やかましく文句をつけたくなることがしばしばあります。

・達成力

ヒステリックに取り乱した態度を示すことはまったくありません。穏やかに、規律正しく、決めた通りに事を運ぶのがあなたのやり方です。信じがたい不運に見舞われたり、本当にひどい状況になったりして、手がつけられないほど深刻な事態に陥るとさすがに動揺してしまうこともありますが、そういうとき周囲にいる人は、あなたをそっとしておく方が賢明です。乙女座の女性が自分でも分かっていながら自制できなくなっている姿は、見ていて心地の良いものではなく、とりわけ慎重に接することが必要です。気分が収まって落ち着きを取り戻したら、全力を挙げてきびきびと動き回って、家に秩序を取り戻し、自分にとってきわめて重要な安心感を回復しようとします。このときも、割って入ってこのプロセスを妨害するのはまったく賢明なことではありません。

・参加型

あなたは夢を見るだけの人ではありません。行動の人です。批評家ではなく実践家です。傍観者ではなく、参加する人です。深遠な冥王星の影響を受けてはいても、静かに観想するのは好みに合いません。関わりを持ち、手をつけ、行動を起こす、それがあなたです。残念なのはときとしてやりすぎること——ほかの人も貢献したがっているのが目に入らず、何もかも自分で取り仕切りたくなるのです。しかし、この傾向をうまく抑えられれば、あなたは大きな心を持った、チームの貴重なメンバーになれます。

心の奥にあるプライドのため、あなたには仲間の足を引っ張るようなまねができません。どんな役割を引き受けても、常にあなたはしっかりやり遂げます。あなたにとってそれは、単に無私の精神からくるものではありません。あなたは独立心がきわめて強く、表面的にどう振る舞っていようと、心の中では脚光を浴び賞賛されることを望んでいます。しかし、報われることをかなり露骨に求めはしても、少なくともあなたには結果を得るために努力する用意があり、ほかの人たちもそのことはよく分かっています。

・**策略家**

正々堂々と戦って勝つのが本来目指すべきところであるにしても、本当に自分に対して率直になれば、極端な状況において倫理的な限界を自分の有利になるよう押し広げることもあると、あなたは認めるはずです。ゲームが自分にとっていささか不都合なものになっていて、フェアプレイを続けてもどうにもならないと分かれば、勝つためなら手段は問わないと素早く心を決め、どんなやり方にでも手を染めるでしょう。あなたは正直だし、宿敵でさえそれを否定することはできません。しかしあなたは聖人ではないし、天使のような生き方は自分に似合わないと常々感じてきたはずです。

▼近い過去と現在の傾向について

・**恋愛**

過去五年の間に少なくとも一度恋愛を経験しましたが関係がもつれ、最終的には人生に対していくらか皮肉な見方をするようになりました。いつものように乗り越えはしたものの、陽気に立ち直って何も問題がないふりをしたわけではありません。そういうのは自分のスタイルではないからです。しかし、この経験から何を学んだかを注意深く吟味し、今後はもっと用心しようとあなたは心に決めました。もし逆の側に振れ過ぎて、新しい友情や、交流や、関係を築くことに慎重になりすぎているとすれば、ここから問題が生じるかもしれません。

　第1室に入っている惑星の一つが金星で、恋愛に関する強い影響力は簡単に弱まらないし、弱まるべきでもないことを、常に覚えておいてください。あなたは素晴らしい恋人になれる人です。思いやりがあり、忠誠心がきわめて強く、愉快で献身的、二人のことをいつも考え、必要なときがくれば、パートナーとともに困難を乗り越えていくために強さと決断力を発揮できる、そういう人です。愛を受けとめるのもあなたにとってたやすいこと。心づかいと愛情を素直に感じ取って、いくらでも受け入れる余地があるからです。安定性と努力が足りないためにロマンティックな関係が壊れることはけっしてありません。あなたはどちらもたっぷり持っているからです。

　あなたにとって弱点となり得るのは、相手によってはあなたが強すぎることかもしれません。あなたの裡（うち）にある限りない強さと勇気が、その人にとっては手に負えないものに見えるのです。ときには、一歩踏み出して新しい関係を求めたり、既にある人間関係の中で新しい局面を生み出したりすることより、個人的な安逸（あんいつ）と満足を選び取ってしまうこともあります。この点では、あなたにダイナミックな水星や土星の影響が欠けていることがときとして露呈します。水星や土星は、物事を強力に推し進めたり計画を立てたりすることと関わりがあります。

・学びと新しい経験

過去五年の間に、あなたは新しいことを学びとる能力、ごく広い意味で新しい知恵と呼べるようなものを獲得する能力を大いに発揮しました。ここに葛藤（かっとう）が生じています。冥王星の星位（アスペクト）は、象牙の塔にこもる学者のように、知識そのものの価値へとあなたを向かわせます。しかし乙女座のあなたは、実際的、物質的に得られるものが行く手に見える場合にのみ、学ぶ努力をしたいと感じています。

この裡なる葛藤は、過去五年間に表面化しました。一方では冥王星の影響から、あなたは万物に興味を持ちます。何にでも首を突っ込もうとする、知的な清掃人のようなものです。書物、絵画、会話など、どこで見つけた情報であろうと構わないし、自分の目標達成にとって有益かどうかも気にしません。あなたは物事それ自体に価値があると考え、どこで役に立つか分からないと自らに言い聞かせます。自分と似たような性向の人が見つかった場合、あなたはきわめて饒舌（じょうぜつ）になります。

他方であなたは乙女座ですから、力や財産を最大限に確保しておこうとします。実際的な利点が明らかでないまま、新しい物事を学ぶことに貴重な時間とエネルギーを無駄にしたくないと考える傾向があります。この葛藤は解消しがたいものに思えますが、自分の可能性を知るにはどうしても解決しなくてはならないのです。第5室にある火星の星位は、乙女座の面が優勢であることを示します。一つか二つの目標を慎重に選んで力をそこに集中させ、持ち前の決断力と機知を活かして進む方がうまくいくでしょう。このプロセスは既に始まっているかもしれませんが、まだ完結していないのはほぼ確実です。この点での進展と、そこからもたらされる利益に期待しておきましょう。

　あなたとあなたが選んだ目標の間に立ちふさがるのは、誰にとっても好ましいことではありません。けっして心地良い立ち位置でないことが分かるでしょう。賢明な人ならすぐ脇へどくか、あなたに手を差し伸べて強固な協力関係を結ぶでしょう。あまり賢明な人でなければ、あなたと対立し、既存のコースから逸れさせようとするかもしれません。でもそれがうまくいく見通しはほとんどありません。乙女座というだけでも力強いのに、そこに戦いの星である火星の力が加われば、容易に抑え込めない強力な組み合わせとなります。

　相手方としては、あなたが諦めて目標の追求をやめることにただ期待をかけて待つしかありません。乙女座の人には、そういうこともときとして起こります。旅の途中で素敵な場所を見つけると、先へ進むより日差しを浴びてじっとしていたくなることがあるのです。

・金銭面

あなたにとって最も大きな意味を持つのは物質的な喜びですが、チャートによれば、それが欠けているということはなさそうです。金銭面では気がかりなことがあって、常に何か金銭的なストレスを抱えていると言った方がおそらく正しいのでしょう。あなたは金銭に支配された奴隷ではありません。実のところ、物質的な傾向があるにもかかわらず、人生がお金の管理と蓄積を中心にまわっていくというほどには、お金を重要なものと考えていないのです。第6室にある冥王星により、こうした世俗的な問題に深く興味を持つことができません。そのため過去五年間に多少のお金は蓄えてきましたが、自分にお金に執着しない能力があることにも気づきました。なりゆきに任せ、その過程を楽しむという能力です。

乙女座のあなたにとって主要な関心事は、現在の心地良さといま何が必要かということです。未来は気にかけないというわけではありませんが、いま手にしている喜びと満足に比べたら、心の中で二次的な場所に置かれているのです。「手の中の一羽は茂みの中の二羽」という格言は、あなたのためにあるようなものです。この点であなたは、蟹座や山羊座と常に対立しています。蟹座の人はじっくり構えて長期的な計画を立てる傾向がありますし、山羊座の人はどこまでも細部にこだわる傾向があり、乙女座のあなたをげんなりさせるのです。

・健康

チャートには、大人になってからの重大な健康上の問題を示す重要な衝（しょう）〔黄道上で正反対の位置に天体がくること〕はありません。ただし、まだ成熟しきっておらず体力や活力が十分でなかった頃に、一度ならず重大な懸念が生じた可能性があります。いまのところは自分の体調が重要な時と場所に十分な注意を払っています。乙女座には運動が得意な人も多いのですが、トップになろうという強烈な意志のもとでしぶとく訓練に打ち込んでそうなったという傾向があり、生まれつき反射神経に恵まれていたり、優雅な身のこなしができたりというタイプではありません。そのため、仲間内でフィットネス好きとして知られていたり、地元のジムに通うことを生活の中心にしたりすることはまずありません。こうした運動に関心を持ったとしても、それはあくまで目的達成のための実際的な手段です。たとえば、自分について良い感情を持つとか、自分で楽しむとか、パートナーを楽しませるとか、自らに対して何事かを証明するとかいった目的があるのです。

第5室にある火星の強い影響が示唆するのは、日常的にどんな健康問題を抱えていようと、持ち前の回復力と鋼のような強さで乗り切ってしまうということです。日々のストレスや緊張に易々と屈してしまう人ではありません。何かと気に病んでばかりいるようなタイプではないのです。どんな難局がふりかかろうとあなたは反撃するし、たいていは勝利を手にします。

▼未来の傾向について

今年、火星が双魚宮に移っていきます。人馬宮は今年、あなたの第5室に入ります。来春からは冥王星が優勢になります。その次の冬からは火星の力が衰えていきます。

・成功運と野心

あなたは運命のままに、物事のなりゆきを座して見守る人ではありません。自分の将来を築くのは自分自身だと当然のように感じ、自分の行動について健全な責任感を持っています。人生における良いことを、あなたは自分でつかみ取っていきます。もちろん努力は必要です。チャレンジしなければならないし、苦難に出遭うこともあります。そんな要素があっても、あなたはくじけません。思い出してください。あなたには自力で切り抜けるだけの十分な才覚と技量があって、ほかの人たちがしくじる場面でも意志の力でなんとかやり遂げてしまうのです。あなたは現実主義者で、人生で出合うものすべてに支払うべき対価があることを知っています。現実的に見る目を失わなければ、大きく道をはずれることはありません。

いまあなたが心の中でいちばん大事にしている野心は、少なくともこの一八カ月の間（海王星が第1室に上昇し、支配的な合を形成してから）ずっと宿っていたものです。あなたが蓄えている力を正しく扱い、場合によってはひどく高い代償を払うことにもつながる、ときおりの感情のほとばしりを抑えることができれば、目標を達成できるでしょう。

有名になって熱い視線を浴びる場面を夢想することがたまにあるでしょう（乙女座の人は誰でも、多少なりと「あなたがスター」という扱いを望んでいるのです）。しかし、名声や富を得るという兆候は出ておらず、いずれにしろあなたには合わないことでしょう。ここに示されている運勢は、全体としてもっと満足の得られるものです。もっと秩序立った着実な人生を歩むことから、あなたは収穫を得ることになります。同じ時代を生きていて、早々とまばゆい光芒を放ち、燃え尽きていく人もいますが、あなたにとってはこれからが良い時期で、これまで辛抱強く蓄えてきたものが開花することになります。

あなたは安楽さを求めるあまり品格を忘れるようなことはありません。幸いなことに、時間の経過とともに贅沢を味わう機会は増えていきます。

・愛情運

乙女座で愛情に本当に恵まれないという人はめったにいません。どちらかというと孤独な時期があっても、人生に満足し、大きな楽しみを見出すことができます。あなたの進む道は長く続く強い愛に適しています。確かに恋愛に関する限り、これからもあなたは慎重になりすぎ、用心しすぎることでしょう。一部の人たちに対してあなたは少しばかり強すぎ、頑固にもなってしまい、手に入れられたかもしれない愛情や温かい関係を台無しにしてしまうことが、これからもきっとあるでしょう。しかし、それにもかかわらず、あなたは人に温かく接することができ、相手をしっかり支えるパートナーになれる人ですから、いずれ揺るぎのない関係を手に入れるのは間違いないことです。生まれつきあなたには、その資質が備わっているのです。

いま、最も強い愛着を感じている関係は、少なくとも来年までそのまま続くでしょう。しかし、来年以降は情熱的な火星の影響がいくらか弱まっていきます。あなたが望むかどうかにかかわりなく、新しい結びつきの兆候が出ています。とはいえ、新しい相手とどれだけ近い関係になるかを決めるのはあなたです。あなたは適当にもてあそばれるような立場を甘んじて受け入れる人ではなく、そんなことはあなたと少しでもつきあってみれば誰でもすぐ分かります。問題が起きるのは、あなたが本来持っている強い性格を活かすことをためらい、使わずにすまそうとし始めたときです。生まれたときの金星と火星の両方が、別々の室（ハウス）ながら強い影響力を及ぼしているため、引っ込んだまま人生を送ることには満足できません。あなたは積極的に物事を決めていく人なのです。あなたが欲する関係はやがて実際に生じるでしょう。そして、あなたが強めたいと望む関係はやがて実際に強まっていくでしょう。

　こうした事情を理解した上で、その結果を楽しむことです！　あなたのサインはとりわけ官能的なものです。しっかりした関係の中から長続きする幸せやロマンス、情熱や親しい交わりを引き出すことにかけて、乙女座の女性にまさる人はそういません。

・健康運

　総じて良好です。平穏な歳月が長く続き、身体的にも精神的にも能力を存分に発揮して、目標を追い続けることができます。生まれつき健康に配慮する傾向があり、健康上の問題で無茶をしたり、不必要なリスクを負ったりすることは、たとえあってもまれです。

　健康に関しては慎重さを貫いてください。これまでひどい目に遭わずに済んだのは慎重に振る舞ったおかげだし、今後もそれは変わりません。

　一つだけ注意すべきサインが出ています。いまのあなたが持っている力やスタミナが、今後もそのまま続くと期待するのは現実的ではありません。長い目で見れば、徐々に変化し薄らいでいく、この自然な過程を受け入れずにいるなら、歳月の経過を認識しないまま、自分自身に過大な緊張を強いていたことがいつか分かる、という結果を招くおそれがあります。こうした問題については、裡なる頑迷さとプライドに注意を払ってください。状況の変化にしたがって生き方に修正を加えていくことは、恥でも何でもありません。

これは長期的に見ていかなければならない問題です。いまのあなたはまだ上り坂にいて、生まれながらに持っている力を存分に活かせる時期は、これからまだ何年も続きます。しかし、少しペースをゆるめるときがきたら、このプロセスに抵抗したり、反発したりしないようにしてください。

被験者たちの感想

それぞれのリーディングの後で、番組の進行役を務めるジョーン・ベイクウェル（一九三三— 英国のジャーナリスト、テレビ司会者）が被験者たちに感想を聞いた。最初の被験者は次のように語った。

〔ジョーン〕さて、ブリジェット、あなたのホロスコープについてリーディングを受けてもらったわけだけれど、どんな感じでした？　どんなふうに受けとめましたか？

——〔ブリジェット（乙女座）〕振り返ってみると、リーディングで言われたあれこれの細かいことは……よく考えてみなければ……自分がどうしたいかを考えて、役立てるようにしないと。前に受けたことのあるリーディングよりも深いものでした。「作家になるべきです。自分を押し通す性格です」みたいな言い方をされると思っていたのに、そうじゃなかった。断言するのでなく、私がどういう人だと思ったかをほのめかす感じで……でも、そういうやり方のほうがいいわ。だって……途中で、こんな言い方をされたから。諦めて自分を引っ込めると、誰かに言われた通りの人になってしまう、と。

[ジョーン]　それでも当たっていた？

――ええ、九九・九パーセント当たっていたと言えます。もっといろいろ、乙女座についてよく知られている細かいことを持ち出してくるかと想像していたんだけれど、そういうのは、ほら、タブロイド紙の「乙女座の運勢」にも出ていることだと思うから。

[ジョーン]　今回、正しく言い当てられたことは？

――きっちりしていて、いったん何かを始めたらずっとやり続けるというところです。この五年ほどの間に、ロマンティックな関係に変化があったようなことも言われたわ。このことはもう少し深く考えてみる必要がありそう。でも、思っていることをはっきり言った方がいいわね。この五年間に誰かと関わったことはないけれど、夫との関係は大きく変わりました。思い当たることといえばそれしかありません。でも、自分の感じた通りに、当てはまると思うところへ当てはめて考えることは必要だし。

［ジョーン］ 未来についてはどう？ 何か手がかりになりそうなことが得られた？

――いいえ。これから六カ月の間に変化が起きると言われました。一八カ月前か、六カ月前に始まったことで……ずっと望んでいたことだけれど、もう終わりにしなければならないというような。物事をきれいに片付けて、自分がしたいと思っていることに向かって進むべきだと。

［ジョーン］ それは当たっている？

――ええ、ある意味ではそうだと思います。あちこちでものを書いたりしているんですが、そろそろあの本に取りかからなくては、という意味なのかもしれないと心の中で思いました。誰の心にも一冊の本がある……そうでしょう？ もう書き始めないといけないのかもしれないと思います。

［ジョーン］ リーディングで言われたことで……自分の行動が少しは変わる？

――いいえ、そうは思いません。

［ジョーン］ でも本のことは？

――いえ、私が言いたいのは……リーディングは、私がずっと考えていたことをはっきりさせようとしていただけ。ある意味ではあなたの言う通りかもしれません。六カ月が過ぎたところで、おや、もう六カ月目だぞと思って、腰を据(す)えて書き始めるかどうかです。六カ月のうちに物事が動き出すと言われたんだから、本当に書き始めるべきだったのにと。

でも、七カ月目か八カ月目になるかもしれない。何カ月と言われたから、その通りの時期に始めるというわけじゃありません。

〔ジョーン〕それでも、ここで語られたことはあなたにとって役に立つ?

――ええ、もちろん。性格についてのことは、そう思います。

〔ジョーン〕星占いはよく見るのですか?

――ええ、新聞で。みんなそうでしょう? 長身で浅黒いハンサムな男性とどこかで出会うことになるなら、誰だって知りたいじゃない。

〔ジョーン〕でも、どのくらい信用して……つまり、毎日欠かさず読んで頼りきっているのか、ただの好奇心からか……?

――私たちは、夫も私も、毎日読みますよ。それをよりどころにしているかどうかは、よく分かりません。今日起きたことや、明日起きそうなことに当てはめているだけだと思います。今回のリーディングで興味深いことの一つは、健康についてです。私は健康に恵まれていると言われました。でも、私が受け入れられずにいることにも話が及んだと思うんです。……少し年齢を重ねると、五年か一〇年前にやっていたことができなくなるというところですけど。年をとればそれを潔く受け入れ、自分の能力を過信しないようにしなければならないというのは、まったく正しいわ。それ以外の点で健康に問題はない、と言われたことは励みになります。去年まで自分で開けていた瓶が開けられなかったりすると、本当にイライラしてしまいますから。

［ジョーン］あなたに伝えられたリーディングは明快でしたか？　はっきり語ってくれていると思えましたか？

——うーん、何とも言えないかな。その時点で受け入れたいと思っていたことだけが耳に入ってきましたから。でも、明快だったと思います。ただ、それを判断するにはもっと……もっと深くリーディングをしてみないと。

［ジョーン］ブリジェット、今回リーディングを受けて楽しかったですか？

——そう思います。何と言うか、ここで聞いたことを持ち帰って何度も思い出し、よく考えているうちに、そうだ、こうしようという気になるでしょうね。そんなふうに、自分が少し積極的になれたかもしれません。［笑い］これでいいでしょうか？


一人目の被験者はここまで。二人目の被験者が語った感想を以下に紹介する。


［ジョーン］ローラ、リーディングを体験してみてどうでしたか？

——［ローラ（牡牛座）］とても面白くて、たいへん印象的でした。私はこういった事柄についてかなり懐疑的なんです。まずは、私のことをどんな性格だと思っているかをじっと聞いています。本気で向き合うのは、力があると証明してもらってからですね。この方はとても良かったです。

[ジョーン] 今回の人は力があった？

――ええ、間違いありません。

[ジョーン] 言い当てられたのはどういうところですか？

――ほとんど全部。本当に、ほとんど全部です。もっと若かった頃のことをあれこれ思い出しました。聞かされたことに当てはめられそうな点がいろいろあって。たぶん、当たっていなかった唯一のことは……現在の愛情面のことかな。しっかりした関係を結んでいる人がいて、もう長い間ずっと続いているから。でもリーディングでは、新しいボーイフレンドやら何やら、実際には起きなかったことも話に出ました。

[ジョーン] 二年くらい前に危うい時期があった、というくらいのこともありませんか？

――いいえ、まったくありません。

[ジョーン] 策略家っていうところはどう？

――確かに、そうですね。ゲームでも平気でズルができますから。一歩脇へどいて、勝てそうかどうか確認したりするんです。間違いないです。自分の思い通りに事を運ぶために、心の中で策略を練っていますね。

[ジョーン] それを見抜かれて驚いた？

――ええ。本当に驚きました。

［ジョーン］手がかりになるものもなかったから。

――ええ。何もありませんでした。それが牡牛座の傾向なのかどうか、私個人のことなのか分かりませんが、策略家っていうのは間違いないです。

［ジョーン］今回のリーディングを受けて、物事に対する自分の態度に変化が起きますか？

――健康の問題はちょっと気になります。というのも、自分がまったくその通りなので。私はすごく強くて、どんどん進んでいくタイプです。何をするにも時速一〇〇マイルというふうだから、年をとってペースが落ちたところなんて想像できないんです。だから、たぶん心に留めて、将来どんなことができるか考えます。

［ジョーン］行動に影響が出てくると？

――ええ、それは間違いありません。

［ジョーン］リーディングに描き出された人物像をどう思いますか？　本当のあなたですか？

――ええ。まったくその通りです。

［ジョーン］当たらなかった割合、当たった割合はどのくらい？

――九五パーセントは当たっていました。どんぴしゃりではない、というところがいくつかあったけれど、ごく小さなことです。だから語られたことは全部、理解できます。

［ジョーン］全体として、リーディングのやり方をどう感じましたか？

――すごく興味深かったです。正直なところ、信じていませんでした。生まれた日と時間からその人のことを正確に言い当てるなんて、どうしてそんなことができるか分からないもの。でも、私が間違っていたことが証明されたわ！

［ジョーン］感銘を受けた？

――ええ、確かに。

後日、同じドキュメンタリー番組の別の部分で扱うために、二人の女性へのインタビューがもう一度行なわれた。二人には、私が本物の占星術師でなく一種の詐欺師だった可能性があると思うか、という質問が投げかけられた。二人とも、そんなことはありえないと思うと答えた。

リーディングを振り返って

テレビに出演するのはいつも楽しいが、ここで取り上げた番組の収録は特に楽しい時間だったことを覚えている。関係者全員にお礼を言いたい。制作チームは実験を構成するにあたって本当にいい仕事をしてくれ、設定条件も厳しく管理されていた。だからこそ、私のリーディングの正確さは「九九・九パーセント」と「九五パーセント」だと評価されたのを知ったとき、本当に嬉しかった。また、二人のうち懐疑的だった方の被験者が、占星術は当たるということを私が「証明した」と述べているのも、きわめて興味深い。

▼同じリーディングを再利用

このときの実演が終わってしばらくして、ジョン・ダイアモンド〔一九五三―二〇〇一 英国のジャーナリスト、テレビ・ラジオの出演者、作家〕から連絡をもらった。ジョンは女性誌『*The She*（ザ・シー）』のためにサイキックに関する記事を書いているところだった。既にプロのサイキック三人に会ったが、比較のために私にもコールド・リーディングをやってみせてほしいと言ってきたのだ。私は前記のリーディングを修正し、牡牛座の男性に当てはまるようにした。星座と性別を変えただけで、それ以外はもとのままだ。それをジョンに対するリーディングとして提示したところ、「八八パーセントくらい」正確だという評価だった。この数字はジョンがそれまでに会った三人のサイキックよりも高かった！

「本筋をそれるが、前記のような出会いがあった後、一九九七年にジョン・ダイアモンドはガンにかかっていることが分かり、二〇〇一年三月に亡くなった。彼の著書『C――臆病者もガンにかかる』（*C: Because Cowards Get Cancer Too*）は本当に素晴らしい本だ。ぜひ読んでほしい。」

▼さらにもう一度……

また別の機会に、パラマウント・テレビジョンに招かれ、ロサンゼルスでリーザ・ギボンズ〔一九五七― 米国のトークショー司会者〕の番組にゲスト出演した。スタジオの観客席から選ばれた四人の女性と、番組の前に会い、このとき私は透視能力者を演じた。私は彼女たちに何も言わなかった。透視能力を使って印象を集めているふりをしただけだ。その後、私が「感じ取った」報告書が彼女たちに渡された。実際には四通ともまったく同じ内容で、占星術によるリーディングを透視能力者のリーディングにふさわしく書き直しただけのものだった。被験者四人は全員、リーディングの正確さを八〇パーセント以上と評価した！

このテレビ番組への出演も非常に楽しい経験だった。実験の準備にかけられる時間はごくわずかしかなかったが、制作者たちはよくがんばってくれた。四〇〇〇マイル〔約六四〇〇キロメートル〕も離れた国から出かけていった私を、誰もが温かく迎えてくれた。

こうして繰り返し使うことになったこのリーディングは、非常にうまくいったと言っていい。表面的に修正を施(ほどこ)すことにより、乙女座の女性、牡牛座の女性、牡牛座の男性を対象とする占星術のリーディングとした。さらに、透視術による報告にも使った。リーディングを提示された「被験者」は、南アフリカ、イングランド、米国出身の知的な人たちだった。リーディングの評価は悪くても「八〇パーセントは正確」というもので、当初の内容では「九九・九パーセント」と「九五パーセント」正確という評価を受けた。

《その他の事例——死者との会話》

二〇〇二年に私はニューヨークのＡＢＣテレビジョンに招かれ、テレビに登場する霊媒と同

上：透視能力者のふりをして「リーザ」へのコールド・リーディングを実演する著者（© NBC テレビジョン）／下：「Prime Time（プライムタイム）」に霊媒のふりをして出演した著者（© ABC テレビジョン）

じような「死者との会話」を、コールド・リーディングだけを使って実演するように求められた。この様子は「Prime Time（プライム・タイム）」の特別番組として録画され、ハロウィーン前後に放送されたと思う。

収録が行なわれたのは、東95丁目7番のハウス・オブ・リディーマー（House of Redeemer）〔ニューヨーク市のランドマークに指定されている、一九一〇年代に建てられた建物〕だった。観客は（前記のテスト条件によって選ばれた）一六名ほどで、私は二〇―二五分くらいの実演をした。いくつか失敗をしたが、的中したところも多く、亡くなった親戚と私が本当に接触していると確信した人たちは、非常に肯定的な反応を示してくれた。

休憩の後、進行役のクリス・クオモ〔一九七〇―　米国のテレビジャーナリスト・キャスター〕が私を登場させ、全員の前でできるだけ慎重に真実が明かされた。そしてわれわれは、人の信念と知覚を形成し、条件づけを行なうことがいかにたやすいかを議論した。制作者からは、オンエア時に約一〇〇〇万人が視聴すると聞かされた。コールド・リーディングを使っていると認めながら、テレビのテスト条件のもとで「死者との会話」を実演したのは、いまでも私だけだと思う（間違っていたら喜んで訂正する）。強い感情と倫理面を考えると、このような実演を行なう困難さは明らかだ。ABCのチームと私は、すべてに気を配り、できる限り慎重に扱ったと確信できるように力を尽くした。事後、参加者の誰一人として不満を口にしなかったことは喜ばしいと思う。

＊＊＊

この第3章で紹介したリーディングはかなりの分量があって詳細なものだ。「スーパー・サイキック・リーディングズ」のクラスで教えるときは、ずっと短い、数分で終わる気軽なリーディングをもっぱら取り上げる。講座で扱うにはその方が合理的で、私が「パーソナル・リーディング」と呼ぶものを実践する方法を学ぶのにも適しているからだ。受講者の全員がリーディングを行ない、リーディングを受けるので、想像がつくと思うけれど、とても楽しい講座になっている。

第3章では、テスト条件のもとで行なったコールド・リーディングの実例を二つ紹介した。これらの記録はコールド・リーディングが実際に機能することの強力な証拠になると思う。サイキックが実際にコールド・リーディングを使っているかどうかはまた別の問題で、判断は読者にお任せしたい。

Column

幕の合間に（2）開かれた心でいるということ

未知を探究するにあたっては開かれた心を維持することが必須だが、その過程で頭脳の働きをないがしろにしてしまうのは勧められない。

——ディーン・ラディン〔一九五二― 米国の超心理学研究者〕

飛行機はそれでも飛び続けるか

サイキック・リーディングについての議論では「開かれた心でいる」ということがしばしば問題になるので、ここで取り上げておきたい。コメンテーター、相談者、懐疑派、テレビの視聴者、ジャーナリストなど、誰に対してでもサイキックが、「開かれた心でいる」ようにと言っている場面をよく見かける。そこには、公平で、合理的で、知的な人は開かれた心の持ち主だという含みがある。つまり、開かれた心を持たない者は不公平で、不合理だから、そういう人の意見は無視していいということになる。これは完璧に合理的な主張だと思えるが、実は非常に間違った見方だ。

開かれた心を持つことが適切なのは、明白な証拠がなく、どちらとも判断がつかないという状況においてだ。たとえば、私が初対面の相手に会うとする。その人がどんな性格で、誠実かどうかといったことを、外見や人種、信条、言葉の訛（なま）りなどに基づいて予断を持つべきだろうか？　もちろん、そうではない。その人がどんな人かということについて、私は開かれた心のままでいるべきだ。その人は私がこれまで会った中で、最も魅力的でチャーミングな、カリスマ性のある人物かもしれないし、そうでないかもしれない。時間が経てば分かる。

人生におけるさまざまな局面についても同様だ。創造的な面やビジネスに関係のあることで、与えられた目標を追求したいと思っている場合、私は最初から、自分がけっして成功できず、努力は無駄になるだろうと想定すべきだろうか？　まったくそんなことはない。開かれた心を保って積極的に努力を続け、できる限りやってどこまでいけるか試してみる方がずっと良い。

科学研究に携（たずさ）わる人の場合はどうか。自分が何を発見し何を発見しないか、あらかじめ判断を下すべきだろうか？　たとえば、遺伝子工学の研究によって、いずれガンを治せるようになるだろうか？　われわれは開かれた心でいるしかない。いまの時点では判断できないからだ。研究で良い結果が出るか出ないか、前もって決めてかかるのは間違っている。

これまで挙げた例はどれも、開かれた心でいるのが適切な場面だ。しかし、ある見解を支持、または否定する証拠が既に豊富にある場合、開かれた心のままでいるのは不適切だ。

たとえば、高度二万フィート〔約六一〇〇メートル〕のところを飛行機が飛んでいて、機長がこんなふうに考えたとする。「航空術の歴史に起きたあらゆる出来事と、歴史上のすべてのパイロットが経験したすべての事態は、私がこの機体を空中に維持するためにエンジンを回し続けなければならないことを示唆している。でも、開かれた心を持とう。すべてのエンジンを切って、残った燃料も捨てることにしよう。それでも飛び続けるかもしれないではないか」と。

こんなとき、乗客のあなたは機長が開かれた心でいることを望むだろうか？

あるいは、お気に入りのレストランで友人たちと食事をしていて、あなたがトマトスープを注文したとする。シェフが次のような考えを持っていることを、あなたは望むだろうか？「人体の栄養物摂取に関する全知識と私がこれまで学び取ったすべての料理法は、このスープに大量のシアン化物〔青酸カリなど〕を添加すべきでないことを示唆している。でも、開かれた心を持とう。ひょっとしたら味が良くなって、誰もが気に入るかもしれないじゃないか」

いずれも極端な例だが、それがバカげているのは、こういう状況で開かれた心でいようとすることがバカげているからだ。サイキックの主張に科学的根拠があるかどうかの議論も、同じようにバカげている。

超能力をまじめに研究しようとする取り組みは、少なくとも二十世紀初頭からあった。こうした研究は世界中で盛んに行なわれ、多額の予算がついたケースもある（ときには、敵対国より優位に立とうという思惑から、膨大な軍事予算を割り当てられた場合もあった）。いろいろな場所で、ずいぶん長い時間をかけ、たくさんの研究が行なわれた。しかし、これほどの労力と時間を費やしたにもかかわらず、超能力――少なくとも、サイキック・リーディングに示されていると言われるような種類の能力――が実在するという明白な証拠は何一つ得られなかった。

だからといって、純粋な超能力者が存在しないことが証明されたわけではない。しかし、われわれが「開かれた心」を放棄し、誰かがサイキック能力は本当にあると主張した場合、証明する責任は彼らの側にあると明言するのには十分な理由がある。

先行する知識を手に入れることが可能な場合、「開かれた心」でないとすればそれは「閉じた心」だ、ということにはならない。それは「知識を備えた心」だ。こうした文脈で「開かれた心」を持てと訴えるのは、知識よりも無知を選べと言うのと同じだ。お勧めできるやり方ではない。

第４章

その他の補足

言葉を使いこなす人もいるが、そうでない人たちは……だめだな。

――スティーブ・マーティン

〔一九四五― 米国のコメディアン、俳優〕

さまざまなトピック

第1章から第3章まではコールド・リーディングの仕組みを詳しく説明した。第4章では、コールド・リーディングをめぐる議論でしばしば問題になるその他のポイントを説明しておきたい。これらはすべて、ほかの適切な箇所で取り上げるべきだったことで、有能な書き手だったらもっとうまく扱えたに違いない。悲しいかな、われわれには限界というものがある。

インスタント・リーディング

本書で取り上げたコールド・リーディングの方法で、ほぼどんな長さの詳細なリーディングでも提供できるが、普通のセッションは二〇分から三〇分だ。しかしサイキックの中には、ラジオ番組で即座に行なうなどと、矢継ぎ早の「インスタント・リーディング」を専門にする人もいる。

そういう状況で一部のサイキックは安全策をとり、「バーナム・ステートメント」（七八ページ参照）、「ポリアンナの真珠」（一五六ページ参照）、「ベールをかけた質問」（一二八ページ参照）など、単純なリーディングを素早く提供できる要素に頼ろうとする。退屈なものに思われても問題はない。通常はもっと詳細なリーディングを提供するのだが、ラジオ番組ではテンポ良くどんどん先へ進めなければならないからと、彼らはいつでも言い訳できる。その後で個人的な相談についての告知があり、きっと手頃な料金で受け付けているものと思いたい。

同じ状況でも、もっと思い切って「確率の高い推測」（九〇ページ参照）、「まぐれ当たりを狙(ねら)う推測」（九三ページ参照）、「民衆の知恵」（一一三ページ参照）などを採り入れ、当たるかもしれないが間違える可能性も同じくらいというリスクを取るサイキックもいる。記憶されるのは的中したときだけなので、何も害はない。また、はずれた場合サイキックは、電波に乗せてリーディングを提供するという状況そのものに原因があると主張することもできる。もしかすると、電波がサイキックの波動と干渉するのかもしれない。ないと断言できる人がいるだろうか？

私自身が短い「インスタント・リーディング」を提供する場合のやり方は、私の著者『スーパー・サイキック・リーディングズ』に書いてある。

ストック・リーディング

米国の心理学者であるバートラム・フォアラー〔一九一四－二〇〇〇〕はあるとき、専門家が特別に作成した個人プロファイルというものを学生たちに渡した。そして各学生に、自分の性格プロファイルとしてどのくらい正確かを評価するように求めた。大多数の学生は自分の性格の本質がきっちりとらえられていると感じていた。その後でフォアラーは、性格プロファイルの内容は全員同一だったことを明かした。

「フォアラー効果（Forer Effect）」についてネット検索してみれば、この有名な実験に用いられた「性格プロファイル」を読むことができる。その内容があなたの性格とよく合っていることに気づくかもしれない！

フォアラーが使った性格プロファイルは「ストック」リーディングの単純な例だ。この場合のストックとは、相談者全員に配布される決められた文章を言う。どの相談者にも同じ内容を話すのはけっこう退屈だし、相談者どうしがメモを比較し合ったりするとサイキックは信用を失うことにもなる。だが、ストック・リーディングをもっと洗練された形で使うことも可能だ。

非常に単純な例を挙げよう。サイキックはまず、恋愛に関する一二種類の短いリーディングを覚え込み、各月とそれぞれ関係づけておく。セッションの中で、サイキックは相談者が何月生まれかを確認する。そして、その生まれ月に対応させたストック・リーディングを話す。さらに、健康、仕事といった主要なテーマごとに一二種類のリーディングを用意しておけば、毎回リーディングに変化をつけられる。

サイキックが望むどんな程度にでもリーディングを複雑で洗練されたものにできるのが、このストック・システムだ。多数のストックを用意して記憶する熱意があるかどうかだけが事実上の限界となる。

タロット・カードを使うサイキックなら、話す内容に困らないよう、七八枚のカードすべての「意味」とされるものを覚えるかもしれない。頭にそこまで負担をかけたくない場合は、

「大アルカナ」として知られる二二枚のカードについてだけ「ストック」を用意することを選ぶだろう。

何年もかけて何百というストック・フレーズを書き、収集し、膨大なシステムにまとめ上げたサイキックを、私は少なくとも一人知っている。長い年月をかけて磨き上げられたストック・システムがたくさんあり、ときにはそれをまとめた「ストック集」が販売されるケースもある。

▼ストックを使う理由

自分が使う占いのシステムを信じているからストックを使う、というサイキックもいる。たとえば、タロットの各カードは特定の意味を持っていて、リーディングを成功させるためにその意味を（自分の解釈を加えつつ）正確に伝えなければならないと信じているかもしれない。

だが、これは正しくない。実のところ、リーディングのメリットと感じられるところに何ら影響を及ぼすことなく、ほぼすべてのカードについて、どんなもっともらしい意味でも与えることができる。重要なのは、相談者がその儀式を信用し、参加すること、そこで謳われている権威ないし有効性に、進んでひれ伏すことだけなのだ。いわゆる「儀式魔術」に依存するその他の活動も、この点ではよく似ている。儀式魔術（ritual magic）とは、もし効果があるとしても、効果が*あるだろう*と参加者が信じることのみからもたらされるような、プロセスないし行為を意味する。こうした活動は数多いが、ここに実例を挙げることは難しい。私がまさに回避しようとしている種類の議論を引き起こしてしまうからだ。

たとえば、鍼（はり）治療はほとんど儀式魔術の域を出ないかもしれないと私は思う。鍼治療の教え通りに鍼を打っても、ある程度ランダムに打っても、生じる効果に差がなさそうだからだ。正しい治療を受けていると患者が信じていれば、後はプラシーボ効果（有効成分のない偽薬によって患者に生じる効果）がやってくれる。もちろん、鍼治療をやっている人は私が間違っていると言うだろう。ひょっとしたら間違っているのかもしれない。けっきょくここでも（サイキック能力と同様）、どこまで本物だと信じたいか、その程度しだいということだろう。

サイキックがストックを使うもう一つの理由は、即興でやるのが嫌いか、あまりうまくできないというものだ。彼らが多数のフレーズを暗記しており、話す内容に困ってしまうことがないと分かって、安心する読者もいるだろう。私個人はストックや台本を記憶するのが好きだったことはない。即興でやる方が楽しいし、自分の柔軟さを示すことにもなるので気に入っている。リーディングでも、ほかのどんな技能でもそうだが、突き詰めると個人の好みということになる。

記憶術

一部のサイキックは簡単な記憶術を使ってストックを暗記し、コールド・リーディングのプロセスを楽にしている。たとえば、対象者の各層（若い男性／若い女性／高齢の男性／高齢の女性など）にふさわしいストック（あるいは別の名称のもの）を記憶するかもしれない。

記憶術はほかの面でも利用できる。相談者と過去のリーディングについて、細部を憶（おぼ）えておくのに記憶術を使うサイキックもいる。同じ相談者にまた会った場合、前回のセッションを思い出し、矛盾したことを口にしないようにできる。もちろん、特別な方法を使う必要があるわけではない。記録カード、コンピューターかオンラインで保存したファイルでも同じように役立つし、むしろ簡単に扱える。

私自身はストックを暗記したりしないが、記憶術そのものは大好きで、仕事ではよく利用している。たとえば、企業で講演をする際には「ジャーニー法」〔記憶したい事柄を場所に結びつけていく方法〕で内容を記憶しているので、メモを見る必要がない。「スーパー・サイキック・リーディングズ」のクラスでは記憶術を使って、黄道十二宮の正確な日付とそれに対応するエレメント〔地・水・火・風の四元素〕を、二〇分足らずで憶（おぼ）える方法を紹介している。これがこの講座でのお気に入りの一つだという受講者は多い！

▼記憶術の達人

記憶術に興味があるなら、私の友人ドミニク・オブライエン〔一九五七―　英国の記憶術の達人、著述家〕の著書を参照すると良い。世界記憶力選手権という一九九一年に始まった競技会があるが、これを書いている時点で、ドミニクは八回優勝している。『ギネスブック』に初めて掲載されたのは一九八九年で、このときはトランプ六組、三一二枚をシャッフルし、その順番を完璧に記憶した。

しかし、ドミニクがすごいのは、自分の記憶力訓練法の効果を証明しようと心に決めていることだ。一九九五年にはシャッフルしたトランプ四〇組のカードを記憶した。つまり、一度見ただけのカード二〇八〇枚を正確に思い出すことに成功したわけだ。

ドミニクはマラソンだけでなく短距離にも強く、トランプ一組のカードの順番を三八・二九秒（ギネス公認）、または二七・五秒（自己ベスト）で記憶する。私的なディナーパーティでドミニクの技を間近で見たことがあるが、本当に驚くべき能力だ。

ドミニクの見事な才能についてはいくらでも書けそうだが、記憶術について知りたければ、ドミニクの本を手に入れて彼のテクニックを研究するのがいちばん良い、とだけ言っておこう〔『記憶に自信のなかった私が世界記憶力選手権で8回優勝した最強のテクニック』二〇一二年、エクスナレッジ刊 など〕。

ホット・リーディング

コールド・リーディングは、何の予備知識もなく、まったく知らない相手にリーディングを提供するテクニックに関わるものだ。これに対し、「ホット・リーディング」というのは、リーディングの前に相談者に関する情報を密（ひそ）かに集めておくことを指す業界用語だ。私はこの分野を調べてみて、相手に覚（さと）られずに前もっていかに多くの情報を集められるかを知って本当に驚いた。マジシャン、詐欺師、探偵など、偵察行動に関わる商売をしているものはみな、密かに個人情報を集める優れた方法をいくつも開発している。

一部のサイキックがいろいろなホット・リーディングの手法を使っていることを示す証拠はたくさんある。店を構えているか自宅で商売をしているサイキックの場合、単純な方法で有用な情報を集めている可能性がある。たとえば、訪れた相談者を魅力的なアシスタントが迎え、うやうやしくコートとバッグや財布を預かる。人畜無害に見えるアシスタントは、相談者から見えないところで預かったものを徹底的に調べ、役に立ちそうな手がかりを探す。何か見つかれば、リーディングの直前にサイキックに知らせるのだ。古くから利用されてきた別のトリックは、アシスタントが外に出て相談者が乗ってきた車の窓から中をのぞき、ライフスタイルや興味の対象を示す手がかりを探すというものだ。

▼ホット・スピリチュアリズム

交霊術について研究している人たちによると、サイキックは頻繁(ひんぱん)に相談にくる人についてノートを作成し、仲間内で共有しているという。この情報があれば、特定の相談者についてすっかり準備ができているだけでなく、一貫しているように思えるリーディングを全員が提供できるわけだ。これにより、グループ全体の信頼感が増すことになる。

この分野に興味がある人なら誰でも、M・ラマー・キーン著『サイキック・マフィア――われわれ霊能者はいかにしてイカサマを行ない、大金を稼ぎ、客をレイプしていたか』（*The Psychic Mafia*）〔邦訳は二〇〇一年、太田出版刊〕を読むべきだ。霊媒を演じていたことを告白した著者は、包括的に書かれた楽しくて素晴らしいこの本の中で、スピリチュアリズム業界のイカサマの一端を明らかにすると述べている。ただし、私としては彼の説明の正確さを保証することはできない。

交霊術師は大きなステージでの実演でも、メディアが報じることになっている場合は特に、ホット・リーディングのテクニックを使って成功を収めようとするという。たとえば、何年も前から（場合によっては何十年も前から）知っている相談者に無料のチケットを送ってイベントに参加してもらう。ショーを見ている人の目には、サイキックがまったく知らない人のことを驚くほど正確に言い当てているように映る。しかし、その「まったく知らない人」は、実のところ二〇年前からサイキックのところへ通っているのかもしれない。

テレビに出演して驚くべき技を実演してみせるサイキックは、撮影が始まる前に「ホットな」手がかりを得る機会が豊富にあることをしばしば利用する。テレビ制作者の多くは、番組でリーディングを提供する対象となる観客にサイキック（またはその仲間）が事前に会うことになっても、問題があるとは考えない。

事前に接触することを制作チームが認めない場合でも、サイキックが後で役に立ちそうな情報を入手することは可能だろう。たとえば、どういう観客を集めるかを書いた制作メモや、番組の中で他界した親戚の姿をスクリーンに映し出すために制作チームが受け取った写真を見るかもしれない。

私にいろいろ書き送ってくれる読者の一人、ベン・ホワイティング氏は、各地をまわって仕事をする占い師が、訪問した家の家族構成を示す符丁（ふちょう）を家の前に残していくことがあるという話をしてくれた。「パトリン（patrin）」と呼ばれているらしいこの符丁からは、その家に住んでいる人数、子供の数、最近亡くなった人がいるかどうか、近く結婚を控えているかどうか、といったことが分かるという。たまたまそこを通りかかった別の占い師がこの符丁を知っていれば、リーディングを最初から有利に進められるというわけだ。

▼不可能性の領域

ここまでに述べたことから、サイキックが相談者の情報を事前に得る方法はたくさんある。ほとんどの場合、相談者のことを前もって知るのは「不可能」だったと主張するのは妥当ではない。AからBへどのようにして情報が伝わったのかを想像するのは困難かもしれないが、不可能というのとはわけが違う。

この点を説明するために、あるエピソードを紹介しよう。これは本当の話だ。

ある大学を訪れたときのことだ。私は学生ホールでショーをすることになっていた。到着すると、ホールの管理をしているベッキーという若い女性に紹介され、音響や照明についての打ち合わせをした。ベッキーは私のショーの内容にいくらか興味があるようで、私たちは少なくとも二〇分ほどしゃべったと思う。

もし私が本物のサイキックのふりをしていたなら、ベッキーのこれまでの人生について具体的で細かいことも含め、大量の情報を提示することもできただろう。ベッキーはびっくりして、それでも私に会ったことはないし、自分の知っている人が私に会ったこともないと断言したはずだ。この出来事は、懐疑派には説明が非常に困難で、不可解な謎のように思えたに違いない。

種を明かせば、私はその一六年ほど前、ベッキーをよく知っていたのだ。二人ともエディンバラ・フェスティバル・フリンジ〔エディンバラで毎年八月に開催される世界最大の芸術祭〕で公演をする演劇グループに所属していた。ベッキーは私のことを忘れていて、エディンバラで数週間一緒に過ごしたことを憶えていなかっただけなのだ。

これをどう説明するか？　私が冴えない奴で魅力がなかったという証拠なのかもしれない。そう言われても文句はない。しかし、私たちはフリンジで短期間公演する間だけの知り合いだったし、二人とも大きな集団の中にいた。彼女には私を憶えている理由が特になかったのだ。それに、私の容貌は学生の頃とはずいぶん変わっていた（ベッキーも変わっていたけれど）。また、遠い過去に会った人を思い出すのがひどく苦手だという人もいる。

ベッキーが私のことを思い出せなかった理由が何であるにせよ、この事例は、サイキックが事前に知識を得ていないのは確実だ、と言い切れない事実を浮き彫りにしている。たとえ相談者が心の底から確信して事実だと断言したとしても。誰も想像できないほど多くの情報をサイキックが持っている可能性は常にある。

私自身はホット・リーディングを使ったことがないし、その必要性を感じたこともない。念のために書いておくと、私がテレビ番組で行なった実演(第3章に掲載したものなど)では、「ホット」リーディングも、いかなる種類の事前情報も使っていない。

コールド・リーディングは習得可能か?

これはよくある質問で、コールド・リーディングの場合もそれ以外のどんなことでも答えは同じだ。学ぶことはほぼ誰にでもできるが、一部の人にはほかの人より生まれつき適性がある。コールド・リーディングをうまくこなすには、口が達者であることと、ある程度の演技力、「ステージ上での存在感」のようなものを持っていることが必要だ。カリスマ性や魅力があればもちろん役に立つけれど、明らかに両方とも欠けている私でも何とかなったようだ。

コールド・リーディングを習得した方法が人によって違うというのは、指摘しておくべき重要な点だ。本で勉強する人もいれば、先生に習う人もいるし、何となく実践しつつ独習する人もいる。非常に分析的なアプローチをとって何年も研究し、自分で身につける人もいる(私はこのやり方だった)。また、特に努力しなくてもコツを何となくつかめる人もいる。

驚くかもしれないが、自分でも気づかないうちに優秀なコールド・リーダーになっていることも十分あり得る。楽しみのためにリーディングを始めても、偶然に的中することがある。さらに続けていくと、まわりの人が意味のあることだと思うような内容を話すコツが徐々に分かってくる。そしてまもなく、周囲から好意的な反応が得られることで、自分にはサイキックの才能があると確信するようになる。

こうしたプロセスを描いた最良の本は、たぶんスーザン・ブラックモア（一五三ページ参照）の『光を求めて――ある超心理学者の冒険』（*In Search of the Light: The Adventures of a Parapsychologist*）だろう。この本の中でブラックモアは、楽しみのためにリーディングを始め、やがて自分にはサイキック能力があるに違いないと思うようになった経緯を語っている。時が経過してブラックモアは、自分が意図せずにコールド・リーディングをしていたことを理解した。

そういうわけで、あるサイキックを指さして、意図的に相談者を欺いているとは言えない。言えるのはせいぜい、サイキック能力などというものが存在しないとすれば、自分はサイキックだと主張する者はみな、自分自身を欺いているか他人を欺いているかのどちらかだ、ということだけだ。

サイキック・パワーは存在する？

コールド・リーディングに関わっていると、サイキック・パワーは存在するかという議論にときどき巻き込まれる。これは職業柄ふりかかる災難みたいなものだ。意味があるかどうか分からないが、私の見方を書いておこう。

一部の人たちによると、サイキック・パワーは間違いなく存在するという。この見方の問題点は、このことを支持する、相互査読を経た信頼できる科学的証拠がきわめて少ないということだ。

サイキック・パワーなど絶対に存在しないという人たちもいる。この見方の問題点は、人類史のどの時代においても、世界中どの地域でも、何らかの種類の「超常的な」体験をしたと言う人々が見つかるということだ。体験したという証言がこれだけ大量にあるものを、無意味であると無視して顧（かえり）みないわけにもいかない。

私自身の見解は、サイキック能力を（たとえば椅子のように）存在するかしないか、どちらかでしかないとするのは間違いだというものだ。この疑問を口にすること自体、いわば的はずれだと言うしかない。

人の信念というものは、いくつかの要因から生じてくる。どこで生まれたか、どんなふうに育てられ、教育されたか、どんな社会、どんな文化の中で成長したか、どんな考えに（直接的に、あるいはメディアを通して）さらされたか、知性がその人をどこへ導いたか、どんな感情傾向を持っているか（何を望み、何を真実と考える必要があったか）、などだ。

1＋2＋3＋4を計算すると、答えはいつも10になる。いくつかの数字を変えると、得られる答えは11になったり37になったり、いろいろだ。それと同じように、ある要因の組み合わせからはテレパシーを信じる人が生まれ、ある組み合わせからは強固な懐疑派が生まれ、ある組み合わせからは空いている駐車スペースが直感で（あるいは天使の助けで）見つかることを喜ぶ人が生まれる。信奉者は信奉者にならざるを得ないし、懐疑主義者は懐疑主義者になるほかはない。どちらもこれまで過ごしてきた人生と、心の風景を形作った要因の結果だ。いずれの場合も、彼らの心を生み出した要因が変われば、違った信念のセットを持つ（あるいは何も持たない）ようになる。

サイキック・パワーのようなものへの信念が客観的事実と何の関係もないことは容易に分かる。数学者はどこにいようと、ピタゴラスの定理がすべての直角三角形について成り立つことに同意する。すべての科学者は、氷の融点が鋼（はがね）よりも低いことに同意する。すべての医療者は、青酸カリを摂取するのが体に良くないことに同意する。

こうしたことは、誰でもチェックし検証することが可能で、ある人が何を信じているかとは無関係だという意味で、客観的に正しい。鋼の融点は氷よりも低いとどれだけ信じようと、何一つ変わらない。実験するたびに、同じ結果が得られるだろう。だからこそ、地域、文化、伝統などが異なっても変わらないのだ。日本の田園地帯と、サウジアラビアの都市と、米国「深南部」から一人ずつ数学者を連れてきても、ピタゴラスの定理その他、直角三角形の持つ性質について全員の意見が一致するはずだ。

客観的事実については、何かが存在するかどうか、現実かどうかを問う価値がある。経験的に答えを見出せるからだ。重要なのは科学があらゆる問いに答えてくれることではなく（答えられないし、答えられると主張したこともない）、何が現実で何がそうでないかを判断するにあたって、これまでのところ科学的方法がわれわれの持つ最良のツールであるということだ。

サイキック・パワーを信じるとか、特定の神を信じるとかいう場合、いま述べたような問いは無意味だ。特定の場所で特定の時代に、ある種の育て方をされた人は、幽霊、ヴードゥー〔ハイチや米南部などで信仰されている呪術的宗教〕、親切な樹木の精霊、ヴァルハラ〔北欧神話で、最高神オーディンが英雄の霊を招くという大広間〕、ニルヴァーナ〔ヒンズー教・仏教で、涅槃・解脱の境地〕、魔術、特定の神、あるいはどこかのサイキックが未来を予言できるという考えを信じるようになる。1＋2＋3が6になるように、いくつかの因子がその信念を作り出す。別の育ち方をして別の人生を歩んだならば、4＋5＋6が15になるように、別の信念が生まれる。

サイキック・パワーは実在するのか？　実在するという信念に至るすべての因子が、あなたのこれまでの人生に含まれていたならイエスだ。あなたの信じる神があなたにとって現実であるように、サイキック・パワーはあなたにとって現実だ。実在しないという信念に至るすべての因子が揃っていたなら、あなたにとってサイキック・パワーは現実ではない。これは客観的現実ではなく、信念についての話だ。だからこそこうした信念は、地域、文化、伝統によって異なっている。インドネシアでは、精霊の機嫌を損ねないよう店舗の入り口に毎日ちょっとした花が供えられている。私の住むイングランドでは誰もそんなことはしない。しかしどちらの国の科学者も、水が酸素原子1個につき2個の水素原子を含むことに同意するはずだ。

突き詰めるとこういうことだ。**サイキック・パワーは、あなたがそうであってほしいと望む分だけリアルなものとなる。**

入手可能な証拠はすべて、この見方を支持している。これと矛盾するような証拠は得られていない。

あなたがサイキック・パワーは実在すると信じているのなら、私にとって現実でなくても、あなたにとって現実なのだろうということを尊重する。私はこの点について論争を始める必要性を感じていない。これまで幾度となくこの種の論争に巻き込まれてきたが、どこへもたどり着けなかった。それよりも微笑んで言葉を交わし、一緒にお茶でも飲んで（バーに行ってもいい）、話を聞き、学び、楽しみながらあなたのことを知りたいと思う。

言い争うよりその方が良い。間違いない。いつだって、言い争うより良いのだ。

▼「そこから得るものがある」

一般の人々について、そして彼らが信じていることについて、もう一つ付け加えておきたいことがある。誰かが占星術、タロット、森の精霊、特定の宗教などを信じると告白するとき、本当は「私はそこから何かを得た」と言いたいのだと思えることが非常に多い。常にそうだとは言わないが、多くの場合に当てはまる。

私はある信心深いクリスチャンの女性を知っている。彼女は日曜ごとに教会へ行き、祈りを捧げ、サクラメント（礼典、秘蹟）を受けている。しかし、キリスト教神学の奥深い部分について尋ねても、懐疑派がキリスト教信仰と結びつける「問題」を突きつけても、彼女は答えを知らないし、知っていると主張もしないし、そんな問題は考えたこともないと答えるだろう。私はこの人のことをよく知っている。彼女にとって宗教の主要な意義と言えば、教会はコミュニティ、ファミリーであって、自分がその一員であることを楽しんでいる。自分はクリスチャンだと言うとき彼女が言おうとしているのは、そこから何かを得ているということだ。

私の知り合いで占星術やタロットや易占を信じると言っている人たちの（全員とは言わないが）多くも同様だ。彼らは自分が信じていることの現実性について、何層にも複雑に重なった知的な議論を開陳したりはしない。彼らはただ、「そこから得るものがある」と言っているだけだ。私は毎週二五キロメートル走ることや、手品サークルの会合に毎週出かけることから何かを得ている。

ＥＳＰ（超感覚的知覚）や信仰について、懐疑派が人々を問いただすのを見ていると、そうした追及に根拠があることを理解できるケースもある。しかし、本質的に無意味な追及だと思ってしまう場合もある。全員が言おうとしていることが、実は「そこから得るものがある」ということだとすれば、そして誰も傷つくことがないとすれば、彼らの信じていることが現実かそうでないかという論争になだれ込むより、もっと良いやり方があるのではないだろうか。彼らの感じている利点（たとえば自分がコミュニティの一員だという安らぎ）はリアルなもので、彼らにとって大事なのはそれだけなのだ。

＊＊＊

以上、第4章では、サイキック業界でコールド・リーディングがどう機能しているかを詳しく論じた。

ここまでの四つの章を読み進めたあなたは――コールド・リーディングを商売に使っている人たちも含めて――ほかの多くの人たちよりもコールド・リーディングに詳しくなったと自信を持っていい。

第5章

ビジネスのためのコールド・リーディング

「情報」と「コミュニケーション」という二つの言葉は、
しばしば置き換え可能なものとして扱われるが、
実はかなり違ったものを指している。情報は発するものだが、
コミュニケーションは送り届けるものだ。

――シドニー・J・ハリス
〔一九一七―一九八六　米国のジャーナリスト〕

ビジネスへの応用

本書ではサイキック業界でコールド・リーディングがどのように使われているかを説明してきた。しかし、一部のコールド・リーディングのテクニックは、リーディングを提供することと無関係な文脈にも適用できる。サイキック業界以外で使われる場合を、私は「**ビジネスのためのコールド・リーディング（CRFB：Cold Reading For Business）**」と呼んでいる。

以前はこれをACR（Applied Cold Reading 応用コールド・リーディング）と呼んでいたが、この呼称は定着しなかった。CRFBは地味だが、こちらの方が内容をよく伝えていると思う。

本章ではCRFBの概略を説明し、どのような形で使えるかをいくつか紹介したい。CRFB自体が大きなテーマで本書の範囲を超えてしまうため、細部に深入りはしない。そこはCRFBについて書いた別の本で扱っている。

CRFBの歴史

CRFBは私が二〇年以上にわたって開発してきたものだ。

私が最初に就いた職業はクリエイティブメディアとマーケティングの分野だった。そこでは自社のサービスを見込み客に売り込む仕事がときどきあった。当時の私は販売の知識があまりなかったが、メンタリズムとコールド・リーディングについてはよく知っていた。そこで販売のプロセスにコールド・リーディングのテクニックを応用してみると、かなりうまく事が運ぶ。信頼関係を築いて合意の感覚を作るようにすると商談成立に至ることが多く、これは素晴らしい方法だと気づいた。

年月が経つ間に私は経験を積んでいった。ＩＴ企業で何年も働き、経営にも参加した。しばらくの間、グローバルなインターネット企業で販売およびマーケティング部門の英国責任者を務めたこともある。この時期を通じて、販売、管理、トレーニングなど、仕事のいろいろな場面にコールド・リーディングを応用する方法について考えを深めていった。

一九九七年に退職したときは生気をなくし、もう心から楽しいと感じることはないのではないかと恐れていた。別れを告げて職場を去り、個人で仕事を始めた。すると自分独自の（少なくとも自活を始めた頃はそうだった）サービスの販売とマーケティングがどうしても必要になる。伝統的な販売とマーケティングの手法を使ったが、売り込み、説得、交渉のいずれの場面でも、コールド・リーディングのテクニックがしばしば役に立つことに再び気がついた。

これがＣＲＦＢの開発に至った経緯だ。

二〇〇八年にはＣＲＦＢの講座を開設し、一対一での訓練も提供するようになった。これまでの受講者の中には、セールス担当者、セラピスト、エンターテイナー、経営者、教師、イベントオーガナイザー、ブロードキャスターなど、さまざまな職種の人が含まれている。あるときのクラスにはプロのポーカープレーヤーまでいた！　受講者の皆さんは、ＣＲＦＢが有益で役に立ち、しかも学ぶのが楽しいと言ってくれている。

CRFBの基本

CRFBはどんな状況に対してでも適用する方法を学べる。また、仕事をしているときのどんな会話でも、驚くようなやり方で、分析して準備しておくことができるようになる。たとえば販売の場面では、見込み客との会話のプロセスに適用できる。教育においては、学生と迅速に信頼関係を築きたいときCRFBが役に立つ。その他どんな職業だろうと、普通に生じるどんな状況でも同様に役立てることができる。

CRFBの目的

CRFBの目的は、話している相手にポジティブな体験を与えることだ。ネガティブな体験がどういうものかは誰でも知っている。

・この人は私をまったく理解していない。
・明らかに彼女はあまり助けてくれそうにない。
・やれやれ、あれ（会議）は時間の無駄だった！

逆に、ポジティブな体験とは次のようなものだ。

・すごい！　状況が分かっている人に会えるのは素晴らしい！

・ついに会えた！　問題解決を助けてくれる人に！
・わあ！　これほど事情が分かっている人に会えるのは素晴らしい！
・われわれは明らかに波長が合っている！　きっとうまく合意できるだろう。
違いがお分かりだろうか？　ＣＲＦＢで言う「ポジティブな体験」とは、理解がある、共感できる、事情に通じている、助けになるといった感覚を指す。ＣＲＦＢはあなたと関わる人たちにこうした体験を与えるためのツールになる。

ＣＲＦＢの実践

実際の場面でＣＲＦＢがどう機能するかを見るために、最初に少しだけサイキックの文脈に戻って、そこに別の光を当ててみたい。

ある相談者がサイキック・リーディングを受けに行く場面を考えよう。サイキックはタロット・カードを見て、こう話しかける。「背中の下の方に問題があって、しばらく前から悩んでいると出ています。何か関係づけられることがありますか？」

これが的中か、ほぼ的中だった場合、わずか数秒の間にどれほどのことが成し遂げられたかを考えてみてほしい。サイキックは相談者の信頼を確立し、自分の役割（と考えてもらいたいもの）を確実にし、相談者に自分が重要で注意を向けられていると感じさせ、信頼と協力の感覚を生み、これから示唆（しさ）する前向きで安心できるアドバイスに、ポジティブなトーンを作り出した。すべて数秒のうちに！

ＣＲＦＢも同じことを、サイキックでない環境において、同じくらい迅速に成し遂げる（もし背中の痛みについてサイキックが間違えていた場合も、第２章の「ウィン＝ウィン・ゲーム」（一七五ページ参照）のところで見たように、問題とはならない。ＣＲＦＢについても同様だ）。

いくつかの文脈で、これがどう機能するかを見てみよう。

▼販売

うまい営業テクニックには数多くの側面がある。丁寧さ、快活で人好きのする態度、上手な質問、相手の話をよく聞くこと、相手の望みをつかむこと、「ＳＰＩＮ話法」〔営業活動で投げかけるべき四種類の質問。Situation（状況）、Problem（問題）、Implication（示唆）、Need-payoff（解決）について質問するというもの〕の利用などだ。

ＣＲＦＢはこうしたテクニックを置き換えるのではなく、そこに一つ追加するものだ。具体的に言うと、ＣＲＦＢステートメント——信頼と合意の感覚を、世界中のどんなテクニックよりも迅速に築ける言葉——を作れるようにする手法だ。

既に述べたように、私自身の営業経験のほとんどは「B to B」〔Business to Business 企業間で行われる取引〕だったし、現在もそうだ。たとえば、ＩＴサービスのセールスをしていたとき、普段心がけているようには準備も知識もないまま、顧客になってくれそうな相手先を訪問しなければならないこともあった。

このような状況で、もちろん私は伝統的な営業テクニックをすべて使ったが、ところどころCRFBも使ってみた。すると、信頼関係と良い関係を迅速に作るのに非常に効果的だということが分かった。たとえクライアントとそこが手がける業種について（正直なところ）あまりよく知らない場合でも、とてもポジティブな会話ができたのだ。

私はCRFBを誇大にも過小にも宣伝したくない。CRFBは魔法のテクニックではなく、素晴らしい営業テクニックの代替になるとも、常に営業がうまくいくとも言うつもりはない。しかし、これを使えば確かに変わるし、どんなB to Bの状況でもポジティブな効果が生まれると思う。

▼経営

経営に携わる人は誰でも、コミュニケーションのスキルが欠かせないことを知っている。初めて経営に参加したとき私は、職場の人間関係がいかに多様かということに驚かされた。そのときどきで、組織図の中で私と同レベルにいるマネージャーや上位にいる人と同時に、下位の人たちを扱うこともあった。それだけでなく、サプライヤー、見込み客、クライアント、仲介者、子会社などとも話す必要があった。

多くの場合、うまくコミュニケーションをするだけでなく、説得できるように話す必要があった。この点で、CRFBを少し使うだけで非常に有利になるということがしばしばあった。

相手が誰であれ、合意と共感を込めたトーンで少し言葉をかけることで、とても満足のいく結果が得られたり交渉をうまく進めたりできた。

▼セラピー

私はセラピーに関わる分野の仕事をしたことがないので、直接の体験から話をすることはできない。しかし、催眠療法、NLP（神経言語プログラミング）〔成功者の事例に学び、コミュニケーション能力を高め目標達成に役立てようとする体系〕、作業療法〔作業（目的や価値を持つ生活行為）を通して健康や幸福を増進しようとする治療〕、訓練療法〔患者の行動や考え方を対象にした訓練による治療法〕、その他さまざまな分野の多くのセラピストが私のところでCRFBを学んでいる。彼らが言うには、CRFBは二つの面で役に立つそうだ。

第一に、こうしたセラピストの多くは自営で、一部の時間を見込み客にサービスを売り込むことに使う。顧客の判断は多くの場合、セラピストと信頼関係を築けそうかどうかにかかっている。したがって、セラピストが理解や共感を示すことにより、十分な知識に基づいて助けてもらえそうだと、相手に感じさせることができれば明らかに有益だ。

第二に、実際に治療やカウンセリングを提供する際は、クライアントとセラピストとの絆（きずな）が非常に重要になる。心がしっかり結びついていれば治療が成功する見込みは大きいが、そうでない場合は成果が得られない可能性が高い。車やコピー機を販売するといった、人格とあまり関係のない分野とは違い、セラピーの世界ではこのことがきわめて重要だ。したがって、信頼関係を迅速に築いて維持する方法をセラピストが知っていれば非常に役に立つ。まさにこの部分で助けになるのがＣＲＦＢだ。

▼犯罪捜査での取り調べ

ＣＲＦＢは犯罪捜査の取り調べにも役立つのではないかと書き送ってくれた人もいる。米国に旅行した際に私は、当時ニューヨーク郡の地方検事補だったピーター・コーガシアンと、この可能性について議論する機会を得た。ピーターは私に、『自白——真実への尋問テクニック』（*Criminal Interrogation and Confessions*）〔原書第五版はInbau, Reid, Buckley, Jayne著、二〇一一年。邦訳はインボー、リード著、一九九〇年、ぎょうせい刊〕を読むといいと教えてくれた。これはこの分野の標準的な教科書だ。

この本を読んだ私は、容疑者取り調べに関する同書のアドバイスとコールド・リーディングとの興味深い類似性に気づいた。たとえば、「取調官の態度と一般的な振る舞い」について述べた箇所で著者らは、穏やかながら集中した雰囲気を保ち、できるだけ気が散らないように注意し、不安を伝えるような振る舞い（たとえば室内を歩き回ること）をしないこと、と書いている。ここは本書第2章の「セットアップ」（四五ページ参照）と「プレゼンテーション」（二〇〇ページ参照）の内容に通じる点が多い。

ＣＲＦＢが取り調べに役立つかを検討するのは興味深いかもしれないが、これまでのところ試してみる機会はなかった。

▼犯罪者のプロファイリング

ベストセラー作家マルコム・グラッドウェル〔一九六三― 米国のジャーナリスト〕の『ティッピング・ポイント――いかにして「小さな変化」が「大きな変化」を生み出すか』（*The Tipping Point*）〔邦訳は二〇〇〇年、飛鳥新社刊〕、『天才！ 成功する人々の法則』（*Outliers*）〔邦訳は二〇一四年、講談社刊〕などの著書は高く評価されている。『*The New Yorker*』（ニューヨーカー）一九九七年十一月十二日号には、「Dangerous Minds: Criminal Profiling Made Easy（危険な心――簡単にできる犯罪者プロファイリング）」を寄稿している。

この記事でグラッドウェルは、犯罪者プロファイリングの「科学」にはコールド・リーディングと共通する部分が多いかもしれないと述べている。この記事の執筆中に私と連絡を取っていたグラッドウェルは、記事の中で本書に言及してくれた。同記事はとても読み応えがあると思う。

この記事は『ニューヨーカー』に掲載された文章を集めた『犬は何を見たのか THE NEW YORKER 傑作選』（*What The Dog Saw*）〔邦訳は二〇一四年、講談社刊〕に収録されているので、ぜひ一読をお勧めしたい。どの作品も読みやすく書かれているが、魅力と洞察に満ち、挑発的でもある。

▼PUAコミュニティ

PUAは「ピックアップ・アーティスト（Pick Up Artist）」の略で、いわゆる「ナンパ師」、つまり女性に巧みにアプローチする方法を心得ていると自認する男性のことだ。本書の初版を書いているとき、私はこういう人々のコミュニティがあることをまったく知らなかった。出版後まもなく、PUAの指導者的な人物がメンバーにこの本を推奨していたと聞かされ、PUAコミュニティの存在を知ったのだった。

PUAムーブメントは低俗だという評判がある。この評価はフェアでないと言う人もいる。コミュニティには心から女性を尊重しているまともな男性がたくさんいて、単に社交の場面での振る舞いに少し思慮が欠けているだけだと主張している。しかし残念ながら、ジントニックからジンだけを分離できないように、低俗でないものと低俗な部分をふるい分けるのは不可能だ。ときどき招待を受けることはあるが、私が常にPUAの世界から距離をとっているのはそのためだ。男性に社交の場面で勇気を持てるようにすることなら手伝えるが、PUAと呼ばれるものとは、たとえわずかにでも関わりたくない。

CRFBはPUAの目的達成に貢献できるのか？　経験に基づいて話すことはできないが、多くのPUAの達人はイエスだと言う。CRFBのテクニックをあちこちで少しばかり使うと非常に役に立つことは間違いないそうだ。特に驚きはしない。人と人が言葉を交わす場面ならどんなものであれ、CRFBのモデルを作れるというのが私の考えだ。

二〇一〇年に私は、説得のテクニックとCRFBのいくつかの側面についてFBI捜査官たちに講義をするために米国へ飛んだ。この講義は一週間にわたるトレーニング・イベントの一環で、いろいろな人が講師を務めた。その中の一人がニール・ストラウスだった。ニールはジャーナリストとして大きな成功を収めただけでなく、ＰＵＡムーブメントを初めて広く世に知らしめた『ザ・ゲーム　退屈な人生を変える究極のナンパバイブル』（*The Game*）〔邦訳は二〇一二年、パン・ローリング刊〕というベストセラーの著者でもある。幸運にも私は、ニールと少しだけ会うことができ、とても楽しい時間を過ごした。

『ザ・ゲーム』の出版は非常に大きな成果だった。広い範囲を深く掘り下げ、その文章には人々の行動に対する見事な洞察がちりばめられている。特にＰＵＡに興味があってもなくても、ぜひ一読をお勧めしたい。何はともあれ、いわゆる「現実世界」における人間心理への数々の洞察に触れることができるだろう。

ＣＲＦＢを学ぶには

ＣＲＦＢを学ぶことに興味がある方は、私のウェブサイトに詳しく書いているので訪問してほしい（www.coldreadingsuccess.com）。

付録

☆1. サイキック・リーディングの市場（本文二一ページ）

「一四億ドルから二〇億ドルの規模」という推定は、次の資料から取った。*Skeptical Inquirer*, Vol.22, No.3 May/June 1998. Published by the Committee for the Scientific Investigation of Claims of the Paranormal (CSICOP), Buffalo, New York.

☆2. 欺瞞と娯楽

私は「この本が扱わない三つのこと」に挙げた「マジシャンとその手法」（二六ページ参照）の項目で、純粋に娯楽のために用いられる騙しのテクニックと、娯楽の範囲外で用いられる欺瞞とを区別した。公平を期すために書いておくと、騙しのテクニックを扱う人のすべてがこの区別を認めているわけではないし、どこに境界線を引くかで一致しているわけでもない。「サイキック」の実演に似せたショーをやっている人の間でも、何を主張しどういう注意を呼びかけるべきかについてさまざまな意見がある。

「本物の」サイキック能力ではないと強く否定する必要を感じている人もいれば、自分には本当にサイキック能力があると信じさせようとする人もいる。多くはその中間にいて、「何も語らず、何も否定せず」という姿勢だ。

はっきり言えるのは、それぞれの演者が自分の判断で方針を決めており、選んだ結果は自分で引き受けるしかないということだ。私自身は「本物のサイキック能力」路線を採用するのは危険だと思う。というのも、非常に奇妙な人たちと奇怪な依頼を呼び寄せる傾向があるからだ。

☆3．人から好かれるようにするには

「顔合わせと挨拶（あいさつ）」（四六ページ参照）のところで、ニコラス・ブースマンの著書『90秒で〝相手の心をつかむ！〟技術』〔邦訳は二〇〇一年、三笠書房刊〕に言及した。表紙には、「ボディ・ランゲージの読み方を知り、行動をシンクロさせ、温かく有意義な関係を築く。ビジネス、交友、人間関係など、あらゆる場面に」という宣伝文句が書かれている。内容の一部については留保したいが、非言語的コミュニケーションと良いラポール（信頼関係）を築く方法に関する入門書として優れていると思う。

☆4．ゲイル・シーヒーの『パッセージ』

「ジェイクイーズ・ステートメント」のところでゲイル・シーヒーが書いた『パッセージ 人生の危機』に触れ、強く推奨した（七三ページ参照）。実を言うと、シーヒーは同様の本を何冊か出版している。『ニュー・パッセージ 新たなる航路――人生は45歳からが面白い』(*New Passages: Mapping Your Life Across Time*)〔邦訳は一九九七年徳間書店刊〕は『パッセージ』の続篇で、その後の社

会や文化の変化を反映させたもの。こちらも同じように素晴らしいと思う。このほか、『パッセージ・フォー・メン』(*Passages for Men : Discovering the New Map of Men's Lives*)もあるが、私はまだ読んでいない(タイトルは*Men's Passages*の方が面白かったと思う)。

☆5．バーナムの実験

「バーナム・ステートメント」(七八ページ参照)のところで、これは心理学の研究テーマになっていると書いた。こうした研究の少なくとも二つの要約が、次の論文に記載されている。Ray Hyman, 'Cold Reading: How to Convince Strangers that You Know All About Them,' in *The Zetetic*, Spring-Summer 1977.(*The Zetetic*は*The Skeptical Inquirer*と改称する前の雑誌名。)ハイマンはその他の研究とともに、次の二つの研究に言及している。

・Forer, B. R. 1949, 'The Fallacy of Personal Validation: A Classroom Demonstration of Gullibility.' *Journal of Abnormal and Social Psychology*, 44: 118-23.

・Snyder, C. R. and R. J. Shenkel 1975, 'The Barnum Effect.' *Psychology Today*, 8: 52:54.

本書の旧版に「バーナム・ステートメント」という言葉の由来は知らないと書いたところ、ジュリエン・ニーノ氏がその答えと思われるものを知らせてくれた。*American Psychologist*(Vol.11, No.6, June 1956)の一部を送ってくれたのだ。「優れた手引書を求む」(Wanted——A Good Cookbook)というタイトルの論文で、著者のポール・E・メール氏は次のように述べている。「心理測定の報告の多くは、筆者の同僚であるダグラス・G・パターソンが『P・T・バーナムの方法によるパーソナリティの記述』と呼ぶものに、当惑するほどよく似ている。主として、あるいは完全に、その内容がとるに足りないものであることを利用して、検査によって得た性格の記述を患者に適合させるという、一見成功しているように見える臨床的処置を見抜くため、『バーナム効果』という呼称を採用することを、筆者は——すこぶる真剣に——提唱する。」

☆6. 「シャーロックの戦略」による推理ゲームの回答例

「シャーロックの戦略」を取り上げた箇所で、コールド・リーダーがこのテクニックを利用する際の手がかりについて説明した。推理ゲーム（一四四ページ参照）の回答例をここに書いておく。あなたの意見がこれと違っていても、まったく差し支えない。

（1）相談者はバイオリンかビオラを演奏する。それもだいぶ前からだ。

何年も首にバイオリンをはさんで弾いているうちに、首の皮膚の色が部分的に変わってくることがある。バイオリニストは左手の指先に弦を押さえることで溝ができている可能性もある。また、右利きでも左利きでもバイオリニストは同じように構えて弾くことに注意（左手でバイオリンを構え、右手に弓を持つ）。

（2）相談者は化粧品を買いに行って、左手の甲にいくつかの色を試し塗りしていた。左手に痕が残っているのならその女性は右利きで、右手に痕が残っている場合は左利きだ。ファウンデーション、コンシーラー、アイシャドーなどは、みな試してから購入できる。

（3）相談者は最近、どこかの店で何か服を作るか仕立て直すかした。婦人服を仕立てる店では、客に靴を脱いで小さな台に立ってもらい、寸法を調整するのが普通だ。必要な長さになるよう生地を針で留めながら、目印になる白い線を薄く水平に引くことがある。

（4）相談者は美容師かそれに近い職業に就いていて、はさみを日常的に使っている。

（5）相談者の背中にも同じように、黒子か痣があると思ってほぼ間違いない。経験豊かなコールド・リーダーは、黒子や痣を化粧品で覆い隠さず、手術で除去してもいないことに興味を持つだろう。相談者は非常に安定していてバランスのとれた心の持ち主で、うぬぼれや虚栄心を持たないのかもしれない。あるいは、除去手術を受けたいのだが費用を捻出できないのかもしれない。おそらく、こういう人は幼いうちに皮膚の扱い方を教えられていて、健康管理への意識が普通の人より強いのだろう。

（6）何も意味はない。多くの人はただガムが好きだから噛んでいる。あるいは、次のような事情のいずれかを示しているのかもしれない。かなりよく煙草を吸う人なので、人に会う前に息が煙草臭くなくなるようミントやガムを口に入れている。刺激のある味が好きだからミントやガムを口に入れる。口臭があると言われた（あるいは疑われた）ためにそうしている。

（7）相談者は、プール、ビリヤード、スヌーカーで使うキュー（突き棒）の先に滑り止め用のチョークを付けていた。

この手がかりは確実とは言えず、ありそうもないケースかもしれない。玉突きをした後にサイキック・リーディングの予定を入れる人はそれほど多くない！ それでも、（これを書いている時点で）玉突きの人気は急速に高まっており、男性も女性も楽しめるゲームなので、可能性の一つとして頭に入れておく価値はある。

（8）この手がかりは、少なくとも二つの興味深い可能性を示している。

一つは、相談者の読む新聞を刷っているウェブオフセット輪転機〔ロールペーパーを送りながら印刷する〕とインクが旧式で、ページをめくるときに手にインクがついてしまうケースだ。新聞を持って移動したり、コートのポケットに入れたりすると、服がインクで汚れる可能性もある。私の住んでいるイングランドでは日刊紙でかなり「ウェット」なものがあって、やっかいな問題を引き起こしてくれる。印刷機やインクにもっと質の良いものを使っていて、何も問題のない新聞もある。この違いに注意すると、相談者がどの新聞を読んでいるか推測することも可能だ。階級の違いが根強く残るイングランドでは、相談者の教育水準、政治的傾向、半裸の女性の写真を見たがるかどうか、といったことの手がかりにもなる。

もう一つの可能性は、相談者の職場でプリンターまたはコピー機のトナーカートリッジをときどき交換する必要が生じているということだ。多くの読者はよくご存じだろうが、トナーというのは通常の科学で説明のつかない不思議な性質を持った魔法の粉だ。密閉されたプラスチックの容器に収められているはずなのに、どういうわけか半径五フィート（約一・五メートル）以内のきれいな表面や衣服に到達する能力を持っている。また、トナーは紙になかなか定着しようとしないくせに（簡単な手紙一通の印刷に五七回もの試行錯誤が必要になることがある）、きれいなシャツやスーツには驚異的な早さで付着するという事実についても、多数の記録が残っている。

「シャーロックの戦略」による推理ゲームについては以上だ。一部あるいは全部の回答例をバカげていて実用にならないと思うかもしれない。私にもそう思う傾向があるので、これはあくまで息抜きとして掲載した。こうした手がかりを考え、友達にクイズとして出題してみるのも面白いが、実際にコールド・リーディングに応用できる場面は、いろいろな資料が示唆するよりも限られている。

愛と感謝を込めて

本書の刊行に力を貸してくださった、次の方々に心からお礼を申し上げたい（ご自身ではそうと意識されていない方もおられると思うが）。

私の人生を変える本を書き、何年も前から良き友人としてインスピレーションを与えてくれているジェイムズ・ランディ。「数学ゲーム」コラムの作者で、多くの素晴らしい永続的な知見へと続くドアを開いてくれたマーティン・ガードナーも、私に多大なる影響を与えた。ユリ・ゲラーは私の人生を変えた人で、近年はかけがえのない友人にもなっている。デヴィッド・バーグラスは私が出会った最高のマジック・パフォーマーで、ずっと以前からの友人であり、アドバイザーでもある。マイク・オールドフィールドは音楽分野での魔術師で、私の熱望と夢と魔術的思考に大きな影響を及ぼした。

ルイス・ジョーンズは、こっそりと人を欺く方法を、誰にも増してたくさん教えてくれた。「ペン&テラー」は、まさに「ペン&テラー」でいてくれたことに感謝したい。実際にやってみて初めて分かることもあるという事実を、私は彼らから学んだ。Nihil me paenitet sane tanta, qua mihi faciebas.（私のためにいろいろしていただいて、本当に満足しています）

初期の段階で助言とインスピレーションを限りなく与えてくれたデヴィッド・ブリットランド。デレク・リーヴァーは若き日の私にマジックへの興味をかきたて、常に後押ししてくれた。

ダレン・ブラウンはさまざまな場面で、知恵と楽しみを分かち合ってくれた。

マーク・ポールとアンソニー・オーウェンは、しばしばマジックの優れた技を伝授してくれた。ダンカン・トリロは長年にわたって大いに支援してくれ、「マジックウィーク」を成功に導いた功績も大きい。

長年にわたって専門的な知見を自由に利用させてくれた、超心理学者として定評のあるクリス・フレンチおよびリチャード・ワイズマン。

世界最高の雑誌の一つである『スケプティック』を世に出し、私の初めてのロサンゼルス訪問を楽しいものにしてくれたマイケル・シャーマー。いろいろな機会に親切にしてくれ、建設的な批評をしてくれたマルチェロ・トルッツィ。

私を初めてステージに上げて愉快なパフォーマンスをさせてくれたエディー・イザード。彼がいまも活躍しているのは本当に嬉しい。

優秀なメンタリスト、ロニー・レイヴンは素晴らしい友達で、楽しい手紙を送ってくれる。トム・カッツもかけがえのない友人で、数々の冒険と絶品のワインを分かち合った。良き友で、優れたマジシャンにして驚くべき才能を持つピアニスト、ジョシュア・クインにもお礼を申し上げる。

ドルー・マッカダムはおバカだけれど、とんでもなく力を貸してくれる友人だ。

マッシモ・ポリドーロとルイジ・ガルラスケッリには何度もお世話になった。二人とも、イタリア流のきついユーモアの心得がある素晴らしい人だ。

リン・ケリーは本当に素晴らしい友人で、いつまでも疲れを知らないかのように手紙を送ってくれる。リンと、大いに力を貸してくれる「ザ・ギャレット・コミュニティ」のみんなに感謝している。アラン・ジャクソンは、深い思想とあまり知られていない情報を提供してくれる素敵な情報源だ。

ラリー・ベッカーは温かい友情とわれわれのテクニックに関する創造的な支援により、私を鼓舞し続けてくれる。マーティン・ブリーズは極上のトークが私のお気に入りだが、彼の知恵とアドバイスには何度もお世話になっている。

ピーター・コーガシアンはニューヨークで私を歓待してくれ、友人としても支援者としても大変頼りになる人だと分かった。

『マジック・サーキュラー』誌のエディターを務めたマット・フィールドは、私に寄稿を勧めてくれた素晴らしい友人で支援者だ。スタン・アレンも『マジック』誌に記事を書かせてくれた。

ジェフ・マクブライドは長年にわたって支えてくれた友人、驚くべきバナチェクはマインドリーディングの世界で常に力を貸してくれた仕事仲間だ。マックス・メイヴンも貴重な仕事仲間で、マインドリーディングに関する知識では誰にもひけをとらない。

マジックの世界での友人はとても名前を挙げきれないが、さまざまな種類のインスピレーションを与えてくれ、数々の魔法のような素晴らしい瞬間を分かち合った仲間として、グレッグ・ウィルソン、デヴィッド・ウィリアムソン、デヴィッド・ストーン、マイケル・ウェバーにお礼を申し上げたい。友人であり、比類のないマジカル・アーティストであるアーマンド・ルチェロにも。

私の知る最も優れたマインドリーダーで友人のジェフとテッサ・エヴァソンにも感謝している。サイモン・ラヴェルも私のお気に入りになっている悪い影響を長年にわたって与えてくれた。イアン・ケンドールは常に変わらぬ忠実な友であり、喜びを与えてくれた。ミック・アスカーナスも同様で、私と同じくらいナンセンスなことをしゃべれる人は、私の知る限り彼のほかにいない。

ほかにもマジック関係の友人は過去も現在も数が多く、感謝の気持ちを込めて一部の方のお名前だけでも書かせていただこう。アンジェロ・カルボーン、ジョアン・デュ・コル、ロン・ファースト、ホルヘ・ガルシア、レナート・グリーン、ジャック・グリーンスポン、リー・ハサウェイ、ブラッド・ヘンダーソン、ニール・ヘンリー、ジョシュア・ジェイ、ハリー・ルーカス、リオー・マナー、リック・モーイ、ザ・マインド・アーティスト、スコット・モリス、フランシスコ・ナルディ、「マジック・ベイブ」ニン、シュート・オガワ（緒川集人）、リチャード・オスターリンド、マーク・ラッフルズ、パー・ヨハン・ラズマーク、ジェイミー・レイヴン、グレアム・リード、デヴィッド・リーガル、バリー・リチャードソン、アポロ・ロビンズ、トッド・ロビンズ、「マジックのディーバ」ロマーニー、マーク・セーラム、カール・スコット、マーク・スペルマン、ジム・シュタインマイヤー、トム・ストーン、ホアン・エステバン・ヴァレーラ、リー・ウォレン、ダリウス・ジアタバリ、A・J・グリーン、そして「マジック・サークル」の友人たち。

センスの良いレストランで信じられないほど充実した会話を交わしながら、楽しく時を過ごさせてくれた「マーナ・レティナ」、私の人生にさまざまなマジックをもたらしてくれた、ヘレン、ジャネット・B、スーカ、ヘザー、ジャネット・K、リュパン、フェデリカ、マラン、テハにも感謝している。

遠い国を訪問する私を手伝っていただき、歓迎し、力添えと笑いを提供してくださった皆さんに感謝を申し上げる。特に、バーキ・エラタイとトルコの皆さん、ゲイ・ユングベリ、マルック・プルホ、ピーター・ロジャース、K・サガテヴァン博士、マリオ・ウンガー、ロイ・ザルツマン、そしてコモド諸島とイースター島への旅に関わってくれたすべての皆さんに。長年にわたって苦労をかけた、私の素敵な「旅の道連れのクマ」、トリンキューローにも。

海外での講演、レクチャー、実演に招いてくださった方々にもお礼を申し上げたい。命が尽きるまでに地上のあらゆる地域を訪れることはできないだろうが、できる限り多くの場所を見ようと心に決めている。そういうわけで、外国の面白そうな土地での講演や実演への招待は、いつでも大歓迎だ。

最後に

本書の内容は以上だ。興味深く、価値があると読者に思っていただけることを願っている。本書の刊行に力を貸してくださった皆さんに、もう一度感謝の気持ちをお伝えするとともに、ここまでお読みいただいたあなたに、心からお礼を申し上げる。

イアン・ローランド

二〇一九年、ロンドンにて

私のウェブサイト――私は三つの分野で活動し、三つのウェブサイトを開設している。

www.ianrowland.com

ライターとしての仕事に関するサイト。単純に言うと、私は著述の「最初から最後まで」と出版サービスを提供しており、テクニカル・ライティング、ビジネス、販売とマーケティング、クリエイティブなど、さまざまな要望に対応できる。あらゆるメディアで三五年以上の経験がある。また、多くの企業で、さまざまな商品とサービスの販売をお手伝いしてきた。

www.coldreadingsuccess.com

アート、科学、コールド・リーディングの楽しみ、CRFB（ビジネスのためのコールド・リーディング）を扱うサイト。私の提供するトレーニングについても紹介している。

www.ianrowlandtraining.com

カンファレンス、企業グループ、個人のクライアント向けに私が行なっている講演とトレーニングについてのサイト。主要なテーマには次のようなものがある。

・実用的な説得のメソッド
・クリエイティブな問題解決
・リーダーシップ、プレゼンス、カリスマ
・心のロックをはずす
・天才であれ！
・ビジネスのためのコールド・リーディング

依頼者のニーズに合わせたトレーニング・パッケージも提供している。これまでのクライアントは、FBI、グーグル、コカ・コーラ、ユニリーバ、英国国防省、オリンピックの英国ナショナル・チーム、クラウン・エステート〔イギリス王室の資産を管理する機関〕など数多い。

[著者紹介]

イアン・ローランド (Ian Rowland)

マジシャン、エンターテイナー、コールド・リーディングの達人。英国 BBC 放送、米国 ABC 放送等の数々のテレビ番組において、コールド・リーディングを含むパフォーマンスを行なってきている。こうしたエンターテイナーとしての活動の一方で、国家機関・企業・大学で、主にコミュニケーション術に関する講義やコンサルティングを行なっている。たとえば英国国防省では「嘘を言っている人間を見分ける方法」を含む講義を、FBI では行動分析プログラム班への講義を行なった。企業に対しては販売担当者の訓練等を行なっている。「コールド・リーディングは超能力ではなくあくまで技術」とする立場に共感を示す人も多く、たとえば科学者リチャード・ドーキンス、作家マルコム・グラッドウェルは、それぞれの著書の中でローランドと本書をきわめて肯定的に取り上げている。英国に在住。

[訳者紹介]

福岡洋一 (ふくおか・よういち)

1955 年生まれ。大阪大学文学部卒(英語学)。翻訳者。訳書に、『ビーイング・デジタル』(アスキー)、『「複雑系」を超えて』(アスキー、共訳)、『古代文明の謎はどこまで解けたか Ⅰ〜Ⅲ』(太田出版)、『懐疑論者の事典(上・下)』(楽工社、共訳)、『幻想の古代史(上・下)』『世界を騙しつづける科学者たち(上・下)』『世界史—人類の結びつきと相互作用の歴史(Ⅰ・Ⅱ)』『赤ちゃんの脳と心で何が起こっているの?』(以上、楽工社)など。

装幀　水戸部 功
DTP　菊地和幸
制作協力　古谷香奈

本書は原著第 7 版（2019 年）の日本語版です

コールド・リーディング 第二版

人の心を一瞬でつかむ技術

2023年9月21日 第1刷

［著　者］ イアン・ローランド
［訳　者］ 福岡洋一
［発行所］ 株式会社 楽工社
〒190-0011
東京都立川市高松町 2-25-1 ニューパリア立川 202
電話　042-521-6803
www.rakkousha.co.jp
［印刷・製本］ 倉敷印刷株式会社
ISBN978-4-903063-95-9